哲學研究叢書・學術思想叢刊

《論語》中的喪祭與鬼神觀研究

許詠晴　著

目次

自序

隨著醫療與科技發展，高齡化已成為當今社會的常態。雖然平均壽命逐漸提升，但死亡至今仍然是人類無法避免的問題。初民社會便已形成圍繞死亡事件的各種生命禮儀，中國古代的禮書與思想家的言行，也記載了古人面對死亡事件所採取的措施與態度。物質生活的富庶使得現代生命禮儀的儀式與分工漸趨精緻，並且配合現代人生活作息、環境保護議題等，現代生命禮儀與古代生命禮儀在表現形式上已經產生重大變化，生命禮儀甚至還能夠客製化。古代生命禮儀繁縟的程序由現代人的角度來看，或許已不再適用，然而，古代生命禮儀所體現的人文關懷與世界觀，仍然可以為現代死亡議題提供參考。

本書以《論語》中的喪禮、祭禮為中心進行考察，首先藉由考察《論語》中對於喪祭禮儀的相關記載，剖析古代生命禮儀中，喪禮對於死者及生者的處置、影響及功能。喪禮對於死者的處置包含形與精兩方面的安頓；對生者的處置則包含身心兩方面的安頓。現代人與初民社會相去已遠，對於喪禮的起源與精神往往沒有明確的認識，導致喪禮的執行淪為形式化的表演。《論語》中孔子對於喪禮起源的詮釋恰可為今人解惑。在《論語》一書中，孔子對喪禮的產生進行了創造性的解釋，孔子認為喪禮包含對生者情感、心理需求的考量。人類的幼兒難以獨自成長發育，需仰賴父母的照顧。由於父母對子女曾有漫長的身體照護時期，身體的照護形成親子間的情感依賴，未來父母亡故時，子女若不能為父母善理後事子女則會不安，於是便形成為父母服喪的內在動力。因此，《論語》將父母的喪禮視為人少數能夠充分展現真情的場合，若不能真誠面對內心情感要求為父母善理後事則是

「不仁」。孔子將喪禮的基礎建立在生理、心理、倫理三層環環相扣的人性結構之上。由此可知，真誠面對內心情感要求即是「仁」的必要條件之一，喪禮在《論語》中可以視為「啓仁」的關鍵事件。

人際間的情感不隨死者形骸的消亡而立刻逝去。面對喪禮後接踵而來的祭禮，《論語》對於祭禮的重視始自齋戒等祭前的各項準備工作，並強調參與祭禮的恭敬虔誠，展現行祭者對於死者死生一貫的情感延續。藉由「慎終追遠」的喪禮至祭禮，將過去、現在、未來的時空貫通，同時顯示了人際情感以及死而不亡的生命延續。《論語》對於喪祭禮儀抱持高度重視，並否定虛應故事、毫無誠敬之意的行禮態度。如果僅單方面強調喪祭禮儀中生者的行為與態度，卻避開或否定行禮對象的存否問題，禮儀的實踐將淪為因循成規，或僅只是生者行為的表現場所。《論語》肯定死者成為鬼神受人祭祀，並且出於對鬼神的尊重，所以與鬼神保持適當距離。但是若耽溺於事奉鬼神或祭祀求福，難免造成後遺症。因此，孔子雖不曾否認鬼神的存在，並且予以尊重，仍不忘提醒學生，應該由學習侍奉父母及生者開始，才能按部就班地妥當地侍奉鬼神。

孔子對於人的生死與德行修養具備系統性的理解，生命禮儀的實踐就是德行修養的練習。《論語》〈為政〉:「生，事之以禮；死，葬之以禮，祭之以禮。」《論語》〈學而〉:「孝弟也者，其為仁之本與。」孔子將生命禮儀的起源建立於真誠情感的基礎上，而真誠是行仁的必要條件，喪禮不僅有安頓死者的作用，同時也具備啓牖人性的功能。現代人雖然已經不再執行古代繁複的禮儀，但藉由對於禮儀立意的認識，猶可得到啟發。

本書整理改寫自我二〇一三年在臺灣大學的碩士論文，由臺大哲學系傅佩榮教授指導，是我對《論語》最初的研究，行文與思路保留了我在學習階段青澀的構想，並未刻意改寫潤飾。本書若有任何錯誤，完全是我的責任，這些缺失是由於我忽略了指導教授的建議，或者對傅教授寶貴意見的處理失當。若本書能夠有任何一絲新意，則要完全歸功於傅教授的指導。最後要感激本書的編組，在編排出版期間的協助與糾正，使得本書得以減少錯誤，並且順利出版。

許詠晴

二〇二〇年元旦

導論*

一　引言

人生也有涯，相伴隨而來的必有無可避免的「死亡」問題，除了個人的死亡以外，難免會遭遇親友亡故。人在生之時，有諸多禮節與規範維繫社會之運作；面對親友死亡時，為死者舉行喪禮。喪禮在古人生活中扮演重要角色，喪禮中的層層儀節緊密地與人的生活結合，諸儀節背後各具獨特意義，涵藏先人的巧思。關於喪禮活動所應注意者，不僅是對死者所施加的一道道手續，亦不僅是對於在世親屬所規定的各項規約。更應仔細考察由層層步驟、過程所構築的喪禮，及其整體背後所欲展現的情感結構。喪期有固定的時間限制，喪期雖久，究竟有其限度，而生者對於死者的情感，卻往往不能隨喪期之結束便就此斷絕。

作為喪禮結束後的輔助活動，另設有祭禮相輔，在喪禮完畢以後仍循規律的時間間隔，向已故先人舉行祭禮。透過祭祀活動，人們可抒發對亡故先祖的思念，維繫生者與逝者間的關係，使兩者間的紐帶不因死亡而斷絕。祭禮過程中，參與者抱持恭敬虔誠的態度執行儀式。然而，祭祀並非生者一廂情願的情感投射。古人肯定祭祀活動有其特定對象，而非祭祀活動執行者個人情感的抒發，亦不僅只是一種心誠則靈的想像心態。中國古代祭禮背後，有著一套支持祭禮成立的生命觀架構。

---

* 本文所見《論語》篇章號碼、《論語》原文句讀及新式標點符號，皆依照傅佩榮：《傅佩榮解讀論語》（臺北縣：立緒文化事業公司，1999年）所示。

人通過死亡的關卡，經過喪禮的洗禮，確定成為有別於世人的另一種存在。在古代中國，人死後的存在形態一般被稱作「鬼」。人死後成為鬼，接受活著的親友們定期舉行祭禮。討論喪禮、祭禮，以及由二者所衍生出的各種重要概念時，不應忽略存在其背後的古代儒家所持守的生命觀。本文將從喪禮、祭禮的功能及其衍生出的重要哲學意涵出發，探討《論語》中喪禮與祭禮的意義，再回頭考究於背後支持古代儒家喪祭禮儀的生命觀，本書首先分別於三個章節中依序探討「喪禮」、「祭禮」與「鬼神」，最後於結論中全面地剖析《論語》中奠基於生理、心理以至於倫理的「喪祭觀」及其背後的「生命觀」。

二　討論的脈絡

喪禮、祭禮在中國古代禮儀中扮演重要角色，《論語》中便屢次出現與喪禮、祭禮、鬼神相關的記載。本書以《論語》為討論核心，由考察《論語》一書中與喪禮、祭禮、鬼神相關的各類記載出發，解析《論語》透過這三個議題所建構的思想體系。

本書第一章及第二章將以《論語》中所記與「喪禮」相關的各種問題為中心探討。在《論語》一書中，喪禮主要發揮三種功能：一是喪禮對死者的安頓，二是喪禮對生者的安頓，三是喪禮對生者的教化功能。第一章探討喪禮中的具體活動如：「斂」、「殯」[1]、「葬」[2]，這些活動屬於喪禮的第一種功能——安頓死者的問題。第二章討論《論語》中臨喪的情感表現諸如：「哭」[3]、「哀」[4]、「戚」[5]、「自致」[6]、

1 見《論語》〈鄉黨〉〈10・22〉
2 見《論語》〈為政〉〈2・5〉、《論語》〈子罕〉〈9・12〉、《論語》〈先進〉〈11・11〉
3 見《論語》〈先進〉〈11・10〉
4 見《論語》〈八佾〉〈3・26〉、《論語》〈子張〉〈19・1〉
5 見《論語》〈八佾〉〈3・4〉
6 見《論語》〈子張〉〈19・17〉

「安」[7]等，是關於喪禮的第二種功能——安頓生者的問題。藉由分析喪禮對於生者的安頓，可進一步提升至《論語》中的核心思想內涵，連結「孝」[8]、「仁」這兩個概念。承繼一、二章，還可以由《論語》中描寫面對喪者的態度分析喪禮的教化功能。第三章由孔子與宰我論「三年之喪」的對話[9]為中心進行考察，分析孔子如何將喪禮的普遍基礎建立於人的情感要求上，將三年之喪置於統合生理、心理、倫理三層次的儒家道德理論建構上。喪禮除了作為一種具有教化作用、由外啟牖人性的儀式之外，從《論語》所記之有關喪禮的描述來看，更能夠發現「喪」於《論語》同時是使人真誠地充分顯露內在情感的契機。真實情感的流露使人得以正視內心對於道德的要求，[10]由內激發人主動實踐禮儀規範的動力。而主動實踐禮儀規範正是「仁」的基礎。在《論語》一書中「喪禮」可說是使個人朝向「行仁」的關鍵事件，具有「啟仁」的教化意義，由內、外兩面協助個人走上人生正路。本書第一至三章將依序討論喪禮的三種功能：「喪禮對死者的安頓」、「喪禮對生者的安頓」、「喪禮的教化功能」。

本書第四章將以《論語》中所記與「祭禮」相關的各種記載為中心出發探究。第一至三章所論的喪禮乃是人由生跨足至死的轉捩點，第四章則接續前文所論的喪禮，解析生者與死後世界溝通的管道——

7 見《論語》〈陽貨〉〈17・21〉

8 見《論語》〈為政〉〈2・5〉

9 《論語》〈陽貨〉〈17・21〉

10 徐復觀認為順著生理作用所發出的自私之愛缺少了道德性的自覺，不能表現道德價值。詳見徐復觀：《中國思想史論集》（臺北市：臺灣學生書局，1959年），頁160。孔子與宰我論三年之喪時，孔子認為宰我忽略內心情感是「不仁」。然而由自然情感流露所產生的愛親行為，仍不能直接稱為「仁」。一方面自然之情經常造成迷惑與困擾，如《論語》〈顏淵〉〈12・10〉。另一方面，由自然情感流露所產生的行為可能有所偏差，所以還需要以「禮樂」為標準自我節制，使自己的行為合禮。自然情感流露，使人自覺內心的道德要求，由自覺產生使人主動實踐禮儀規範的動力而不靠外力的幫助，才能算是行仁的關鍵。

祭祀。第四章將以與生者最親近的人鬼、祖先祭祀為中心，將視域轉向生者與死者之間的溝通。《論語》關於祭禮的記載繁多，本書將針對祖先祭祀進行探討。《論語》中有關祭禮的篇章主要有三個闡述方向：一是行祭禮對象的界定，二是祭禮的準備作業，三是參與祭禮所應抱持的態度。祭禮的對象很多，廣及昊天上帝、日月星辰、社稷山川百神、以及人鬼祖先等等，[11]本文以祖先祭祀為中心，因此將著重於以人鬼、祖先為對象的祭禮。祭禮的準備作業如：「齊（齋）」[12]、「食」[13]。各種禮儀皆應以「仁」為根本，[14]此外參與祭禮所應抱持的態度以「敬」[15]為主，《論語》又強調應以虔誠的態度參與祭禮，而不贊同「祭如不祭」的態度[16]。孔子對於齋戒、戰爭、疾病三件事相當重視，而對齋戒的重視優先於戰爭與疾病。[17]戰爭與疾病是攸關生死的大事，但是孔子卻以齋戒為最優先，齋戒又是行祭祀之禮的前置作業，可見孔子極度重視祭祀之禮。舉行「喪禮」是「慎終」的表現，而舉行祭祀之禮則是所謂「追遠」的表現。謹慎實行喪禮與祭禮便實踐了「慎終追遠」[18]的精神，展現親子、人際情感連繫的死生一貫。由《論語》又可歸納出祭祀的兩個基本原則：「非其鬼不祭」、「非禮不祭」。對於自己所應祭祀的對象，《論語》提出因應的態度，禮重視行禮者的真實情感，行禮時又必須恭敬虔誠，避免缺乏真誠心意的態度。首先，孔子曾說：「巧言令色，鮮矣仁」[19]；其次，缺乏真

---

11 章景明：〈喪之禮吉凶觀念之分別〉，收入李曰剛等著：《三禮論文集》（臺北市：黎明文化事業公司，1981年），頁172。

12 見《論語》〈述而〉〈7・13〉、《論語》〈鄉黨〉〈10・7〉

13 見《論語》〈鄉黨〉〈10・7〉

14 見《論語》〈八佾〉〈3・3〉。子曰：「人而不仁，如禮何？人而不仁，如樂何？」

15 見《論語》〈八佾〉〈3・26〉、《論語》〈子張〉〈19・1〉

16 見《論語》〈八佾〉〈3・12〉

17 《論語》〈述而〉〈7・13〉

18 《論語》〈學而〉〈1・9〉

19 《論語》〈學而〉〈1・3〉

誠心意甚至持詐偽的態度行禮，有礙人發覺內心的道德訴求，這樣的態度被孔子稱作「不仁」。又何況主動實踐禮的要求時所呈現的主動性是行仁的關鍵，如果不能以恭敬虔誠的態度行祭祀之禮，恰與「禮」以「仁」為本的基本精神相違，故《論語》論行祭禮所應持的態度以恭敬虔誠為主。「慎終追遠」的具體實踐，綜合而論，不僅包含外在儀節的教化與節制功用，也應配合參與者個人主動實踐禮的內心訴求，二者相輔相成，因此可說是行仁的契機，更可以改善社會風氣，以至於「民德歸厚」[20]。第四章將依照「行祭禮對象的界定」、「祭禮的準備作業——齋」、「參與祭禮所應抱持的態度」三個議題分為三節。

本書第五章將以《論語》中所記與「鬼神」相關的各種議題為中心出發探究。《論語》中對於鬼神的談論雖然不多，但是考察《論語》全書，孔子未曾懷疑鬼神的存在。古人舉行祭禮有其特定行禮對象，其中鬼神扮演了相當重要的角色。祭禮的實施不僅只是藉由儀式協助參與者抒發思念祖先的情緒，古人還相信可以透過祭祀獲得鬼神的福佑。第五章先就《論語》中的「鬼神」意義進行討論，探討人與鬼神的關係。進而分析鬼神的構造，說明春秋時代人死後即可稱作「鬼神」。人生時便具有「魂」、「魄」，而死後「魂」、「魄」脫離人體存續，並且被古人改稱為「鬼神」。根據《禮記》中種種關於喪禮、祭禮的記述可知，生者在親友亡故以後舉行招魂的復禮，隨後還有各類祭禮相輔。行使招魂的「復」禮，必以有「魂」可復為前提。人雖無法因招魂而復生，然而古人相信招魂儀式可以使得死者的神魂回歸接受祭享，如此才能與隨後舉行的各項喪禮儀式銜接不輟。由於死者之神靈能回歸，於是一切奠祭才有意義可尋。[21]喪禮、祭禮的實行皆

---

20 《論語》〈學而〉〈1．9〉

21 參看林素英：《古代生命禮儀中的生死觀：以禮記為主的現代詮釋》（臺北市：文津出版社，1997年），頁81-84。

以古人對於鬼神存在的信念為前提，所行的各種儀式才有意義。可見喪祭之禮的背後基礎，實是一套人死後仍可以「鬼神」之形式存在的生命結構。對亡故的祖先與鬼神行喪禮祭禮、對父母的敬愛、維持祭禮的延續，這三者構成《論語》中以「孝」、「仁」為核心的喪祭結構，由此可見，喪祭之禮其實是建立在一套人死而不絕、[22]並且可以連接過去、現在、未來的完整生命結構上。最後再考察《論語》對「鬼神」的態度，歸納出兩個主要態度：「敬鬼神而遠之」[23]、「未能事人，焉能事鬼」[24]。生死、人鬼是一延續，孔子要求學生按部就班，先學習如何侍奉生者，再學習侍奉死者，並且未曾否定鬼神的存在。第五章將以人死後的存在形式——「鬼神」為中心討論，探究喪禮、祭禮背後死而不絕的生命觀。

所以《論語》談論喪禮、祭禮與倫理觀念，實互為表裡。理想的喪禮、祭禮以其內在倫理基礎——「仁」為依歸；而喪禮、祭禮反過來又可作為「仁」的外顯形式，並且成就「啟仁」的方法論。《論語》中的喪祭結構又以一套生命觀——鬼神觀作為依據，行禮的對象與行禮者雙方皆獲得說明，使喪禮和祭禮的各項儀節內外充實，不落空談或祭者的主觀想像。

三　研究方法

《論語》所記錄的內容環繞孔子及其弟子的生活與言行，記述形

22 本文所說的「死而不絕」意義與鄭志明所說的不同。鄭氏所說的「死而不絕」是描述子女們在喪祭之禮中不斷傳達不敢忘親的追養繼孝之情，肯定精神相互感通的永續生命。詳見鄭志明：《中國殯葬禮儀學新論》（北京市：東方出版社，2010年），頁54-55。本文的「死而不絕」用以描述人的生命觀。人死亡以後，仍以異於生前的其他形式存續，並不因死亡而滅絕。

23 《論語》〈雍也〉〈6．22〉

24 《論語》〈先進〉〈11．12〉

式以語錄體為主。《論語》一書中包含許多簡短如格言的篇章，材料零碎，缺少系統性的敘述架構，不如《孟子》、《荀子》一篇篇記述周詳清晰。缺乏組織性的文章結構來表達思想，是許多中國早期思想家的著作共通的現象，徐復觀就曾經這樣描述：

> 中國的思想家，很少是意識的以有組織的文章結構來表達他們思想的結構，而常是把他們的中心論點，分散在許多文字單元中去；同時，在同一篇文字中，又常關涉到許多觀念、許多問題。即使在一篇文章或一段語錄中，是專談某一觀念、某一問題；但也常只談到某一觀念、某一問題對某一特定的人或事所需要說明的某一個側面，而很少下一種抽象的可以概括全般的定義或界說。[25]

缺乏組織性的文章結構、論點分散，又少對所欲講述的內容直接下定義，容易使讀者無法掌握宗旨而以偏概全。面對材料零散的問題，就必須由讀者自行於零散的各篇之間找出可以統貫的思想主軸。雖然孔子曾經兩度表明自己的思想及言論是由一個中心思想貫串，孔子說：「吾道一以貫之」[26]、「予一以貫之」[27]，但是由於孔子對於弟子所提出的相同問題經常有不同的回答，[28]同一概念容易被片面地、偏差地

25 徐復觀：《中國思想史論集》，頁2。

26 《論語》〈里仁〉〈4・15〉

27 《論語》〈衛靈公〉〈15・3〉

28 針對相同的問題，孔子因發問者不同而經常有不同的答覆。例如孔子對弟子問「孝」所作出的回答就是明顯的例子，孔子直接針對弟子問「孝」的答覆至少有以下四種：

(一) 孟懿子問孝。子曰：「無違。」樊遲御，子告之曰：「孟孫問孝於我，我對曰：『無違』。」樊遲曰：「何謂也？」子曰：「生，事之以禮；死，葬之以禮，祭之以禮。」(《論語》〈為政〉〈2・5〉)

(二) 孟武伯問孝。子曰：「父母唯其疾之憂。」(《論語》〈為政〉〈2・6〉)

(三) 子游問孝。子曰：「今之孝者，是謂能養。至於犬馬，皆能有養；不敬，何以別乎？」(《論語》〈為政〉〈2・7〉)

理解，甚至造成誤解。所以比較參照各個討論相似問題的篇章並加以連結、比較，從《論語》零散的材料中澄清孔子所使用的幾個重要概念。

另一方面，《論語》所記內容中不僅包括孔子的言行記錄，還摻雜大量孔子門人以及時人的言行記錄。由於《論語》語錄體的撰寫形式不像《孟子》、《荀子》等著作那樣周詳，因此，研究《論語》要闡述的義理，便容易顯得零散。於是對於《論語》一書中的材料揀選就必須更加謹慎。要從零散的各篇章中選取可以作為參考的對象，就不得不先檢討揀選的方法。揀選材料的過程中需要注意，《論語》所記錄的內容除孔子以外，還包括孔子門人與時人的言行，以及由孔門弟子描述孔子思想的言說。門人及時人的言論不見得能夠正確傳達或代表孔子的思想，恐怕並非每個門人皆能完整掌握孔子的思想。此外，孔子對門人因材施教，每個弟子都各自面對各不相同的情境，而且門人性格各異，[29]理解能力與才智也各有高低，針對相同概念的發問，孔子往往有不同回答。傅佩榮曾針對《論語》說：「每一段文字的比重不能等量齊觀」，並且指出書中的章句至少可以分成四個層次：第一層是孔子個人的人生體悟、第二層是孔子與第一流弟子的對話、第三層是孔子與平凡弟子及時人的對話、第四層是某些弟子的個人心得。[30]研究《論語》整理所欲研究的相關概念出現的篇章時，必須注意所選擇的章句的說話者、聽話者，以及對談情境。本文將以《論語》中孔子的言行為中心，再參考孔門弟子等的言行，選擇其中與孔子的態度較接近的篇章進行研究。

(四) 子夏問孝。子曰：「色難。有事，弟子服其勞；有酒食，先生饌。曾是以為孝乎？」(《論語》〈為政〉〈2・8〉)

29 孔子曾對於弟子的性格差異進行描述，例如：「柴也愚，參也魯，師也辟，由也喭。」(《論語》〈先進〉〈11・18〉)。對於性格不同的弟子予以不同的教導，例如：「子曰：『求也退，故進之；由也兼人，故退之。』」(《論語》〈先進〉(11・16))

30 參看〈我怎樣讀《論語》〉,《哲學雜誌》第6期（1993年），頁6。

研究《論語》時，除了研究其中的對答、言說以外，還必須參考《論語》中所記載的孔子是如何行動、生活。孔子的基本觀點是「行仁的人不輕易說話，卻敏於實踐」[31]，有志行仁者必當謹慎言語。關於說話必須謹慎，孔子至少說過：

（一）君子食無求飽，居無求安，敏於事而慎於言，就有道而正焉，可謂好學也已。[32]
（二）古者言之不出，恥躬之不逮也。[33]
（三）君子欲訥於言而敏於行。[34]
（四）仁者，其言也訒。[35]
（五）君子恥其言而過其行。[36]

孔子謹慎言語，不作長篇大論，卻強調行為實踐。故當研究孔子的哲學思想時，就不能只看他說過什麼，還要考察他的行為如何。考察行為所需檢視的標本也就是孔子的生活，梁漱溟強調「他所謂學問就是他的生活……在孔子主要的，只有他老老實實的生活，沒有別的學問……哲學也僅是他生活中的副產物。」[37]徐復觀亦總的說明中國哲學研究方法：「我們『簡易』的哲學思想，是要求從生命，生活中深透進去，作重新地發現。」[38]缺乏完整的、結構性的論證，再加上孔子不多言，研究《論語》勢必要深察孔子的舉止行為。例如《論語》

31 傅佩榮：《傅佩榮解讀論語》，頁294。
32 《論語》〈學而〉〈1・14〉
33 《論語》〈里仁〉〈4・22〉
34 《論語》〈里仁〉〈4・24〉
35 《論語》〈顏淵〉〈12・3〉
36 《論語》〈憲問〉〈14・27〉
37 李淵庭、閻秉華整理：《梁漱溟先生講孔孟》（上海市：上海三聯書店，2008年），頁12-13。
38 徐復觀：《中國思想史論集》，頁2。

〈鄉黨〉記載了許多孔子的行為，日本學者和辻哲郎在研究《論語》各篇特色時說：「〈鄉黨篇〉並沒有試圖傳述孔子思想」[39]，雖然孔子直接的發言記載不多，但孔子的思想卻不免會由行為中透顯，孔子也曾說：「視其所以，觀其所由，察其所安；人焉廋哉？人焉廋哉？」[40]透過行為的觀察，人的心思想法是很難被隱藏的。所以研究《論語》時，必須將所記的言、行兩者相互參照，敘述不完整的部分可以參照孔子的「生活」情況來補充。

按照以上所述的材料揀選方法、考察標本的選取方法，本文將對於《論語》中的喪葬、祭祀禮儀以及其鬼神觀進行探討。欲探討《論語》的哲學思想，勢必先瞭解哲學文章的寫作特色。傅佩榮曾說「哲學家的文章有三點特色，就是：澄清概念、設定判準、建構系統。」[41]本文於各章，將依照各章欲討論的主題，由《論語》中尋找相關的概念進行分析，澄清各個概念的意義，由細節開始理解問題。接著由各概念之間找出孔子對特定概念的基本理解，進一步綜合對於各個概念分析所得的結果，以尋求孔子對於特定議題的態度。由此可以協助研究孔子對特定概念所持之判準，並可協助理解為什麼孔子在某些章句中有特定發言。例如，孔子與宰我討論「三年之喪」時，為什麼孔子說宰我「不仁」，「仁」與「不仁」的判準為何。解構孔子對喪禮、祭禮、鬼神三個領域的問題所抱持的態度，可以重新整理建構孔子對於建立在一套人死而不絕、並且可以連接過去、現在、未來的完整生命結構上的喪祭禮儀系統之理解。

39 和辻哲郎：《孔子》（東京：岩波書店，1988年），頁99。

40 《論語》〈為政〉〈2・10〉

41 傅佩榮：《國學的天空》（西安市：陝西師範大學出版社，2009年），頁5。

四　使用材料

於文獻材料的使用方面，《論語》一書之撰集與成書時代，歷來說法不一，是個頗有爭議的問題。首先，大致可確定的是，《論語》並不出自孔子之手，[42]讀者只能透過撰集者的描述認識孔子，如和辻哲郎說：「《論語》不包含早於孔子的孫弟子們的記錄。孫弟子們為了教授其弟子，所以製作了各項記錄。因此，就算試圖根據其最古的記錄以接近這些教師的記載（案：即孫弟子），也無法早於曾孫弟子的立場。」[43]由於撰集者及撰集年代之故，部分學者質疑《論語》記載內容中恐滲入許多非孔子本人的思想。也就是說，讀者可能只能透過孔子弟子或再傳弟子的記載認識孔子思想，所以讀者的立場只能等同或晚於孔子的弟子或再傳弟子。於是，在思想的轉承、傳述過程中，讀者所見《論語》恐怕已混雜孔子弟子、孫弟子的個人理解。

部分學者則由體例著眼，以篇章區分來論定《論語》的編纂情形，進一步也影響了學者對書中思想內容與孔子思想之間關聯性的認定。武內義雄繼承江戶時代學者伊藤仁齋的說法，將今本《論語》分成前十篇「上論」與後十篇「下論」，指出在上論與下論中，掌握孔子思想一貫之道的角色分別是曾子與子貢，並且認為上論重視精神面的「仁」、下論重視形式面的「禮」。[44]與武內相對，津田左右吉則不像武內那樣認為《論語》是可以得知孔子思想的重要資料。津田將

42 班固《漢書》〈藝文志〉、趙岐〈孟子題辭〉、鄭玄、宋人永亨、日本學者太宰春台、物茂卿等皆認為《論語》成於孔門弟子之手，只有弟子名氏的差異而已。皇侃《論語義疏》〈敘〉、柳宗元〈論語辯．上篇〉、朱熹《論語章句集注》〈序說〉引程頤之說，以為《論語》成於孔子再傳弟子之手。另有認為《論語》的纂集不止一次、更非止於一人等說法。（詳見葉國良、夏長樸、李隆獻合著：《經學通論》，臺北市：大安出版社，2005年，頁333-339。）

43 和辻哲郎：《孔子》，頁16-17。

44 澤田多喜男：《『論語』考索》（東京：知泉書館，2009年），頁21-27。

《論語》依篇章分解，認為《論語》中所載孔子的話語可能是戰國時代的產物，而不能輕易相信那就是孔子本人的言語。[45]

因《論語》並非由孔子親自執筆撰寫，導致歷來學者質疑書中所記載的思想內涵並不能代表孔子本人的思想。但《論語》一書作為先秦儒家哲學史上的經典著作，亦有許多學者肯定《論語》是研究孔子思想的最可靠材料，胡適便曾說：「《論語》雖不是孔子做的，卻極可靠，極有用。這書大概是孔門弟子的弟子們所記孔子及孔門諸子的談話議論。研究孔子學的人，須用這書和《易傳》、《春秋》兩書參考互證。此外便不全可信了。」[46]勞思光研究孔子思想學說時亦肯定唯一可靠資料，即門人記述孔子言行之《論語》，今日論孔子學說，主要資料仍為此書。[47]傅佩榮亦說：「為了解儒家始祖孔子的思想，最可靠的材料仍是《論語》一書。」[48]

前文所述可知歷來有許多學者試圖以撰集者、撰集年代、篇章體例等各種方法對於《論語》這一文獻進行解構，試圖釐清書中言語是否切合「孔子本人」的思想，或是否真是孔子所說的話。但是本文希望可以跳脫「孔子本人的思想」這樣的討論侷限，以今本《論語》為憑藉，尊重今本的完整性，以今本作為一整體進行研究。雖然書中許多歸於孔子的發言被質疑可能是後代假託，但困於考證之難以及本文的寫作意圖，本文將不討論書中歸諸孔子的發言是否真是孔子所言的問題，把《論語》視為一既成整體，以其整體內容作為研究的憑依來研究《論語》一書所構築出的對於喪禮、祭禮及鬼神觀的態度。

45 澤田多喜男：《『論語』考索》，頁27。

46 胡適：《中國哲學史大綱——古代哲學史》（臺北市：臺灣商務印書館，2008年），頁68。

47 詳見勞思光：《新編中國哲學史》（臺北市：三民書局，2010年），頁108。

48 傅佩榮：《儒道天論發微》（臺北市：聯經出版社，2010年），頁96。

第一章
由《論語》中的喪禮分析喪禮對死者的安頓

人之有生，相伴隨而來地必有無可避免的「死亡」問題。人在生之時有諸多禮節與規範維繫社會之運作；當人面對死亡時，死者親屬行喪祭之禮。喪祭之禮在中國古人生活中，扮演相當重要的角色。在先秦儒學中，喪祭之禮頻繁地被提出討論。由《論語》所記關於喪禮的記載，可將喪禮功能區分為三：對死者的安頓、對生者的安頓、對生者的教化。本章以對死者的安頓為核心，第一節先就《論語》中的喪禮進行界說，第二節至第五節依序討論瀕死的祈禱、封藏形體的「棺」與「椁」、治喪之「臣」、「精」的安頓。

第一節　《論語》中的「喪禮」界說

一　「喪禮」

據《周禮》〈春官宗伯〉記載：「以凶禮哀邦國之憂：以喪禮哀死亡，以荒禮哀凶札，以弔禮哀禍災，以禬禮哀圍敗，以恤禮哀寇亂。」[1]古禮分吉、凶、賓、軍、嘉五大類。喪禮屬凶禮之類，作用在於哀悼死亡。

喪禮是指面對人的死亡所舉行的各項處置事宜。面對周遭親友的

1　〔漢〕鄭玄注，〔唐〕賈公彥疏；趙伯雄整理，王文錦審定：《周禮注疏（十三經注疏）》（北京市：北京大學出版社，2000年），頁543-545。

死亡，古代中國人設計規劃出一連串細緻繁瑣的應對儀式。對應瀕死、臨終、死亡、初死、確認死亡、屍體處理、屍體安置、下葬、葬後等漫漫長程，喪禮提供精密周全的相應儀式。在執行複雜的儀式過程中，不僅使死者獲得妥善安置，同時使生者的情緒獲得撫慰而得以疏解安頓。此外喪禮更深具教化功用，以親友的亡故為契機，在繁瑣的治喪節目中，藉由倫理規範的實踐，學習坦然面對內心的情感以及要求。因此，對死者的安頓、對生者的安頓、對生者的教化構成喪禮的三種核心功能。

《論語》出現許多關於喪禮、祭禮的記載。孔子所論，吉禮為詳，凶禮次之；吉禮以祭祀為主，凶禮以喪葬為主，軍、賓、嘉禮僅略及之，可知孔子所重者在喪、祭也。[2]《論語》〈堯曰〉云：「所重：民、食、喪、祭」，對古人而言，最為重要的事情除了民生、飲食之外，就是喪葬與祭祀。何晏《論語集解》：「重民，國之本也。重食，民之命也。重喪所以盡哀，重祭所以致敬。」[3]國民為國家重要的組成結構，重視國民可以說是持國之本。教導、照顧百姓、[4]並獲得百姓的信賴[5]，基本的人民生活問題無法解決，社會便容易出現混亂的現象，國家自然就會難以成立。關於「食」的問題，《書》〈洪範〉：「八政，一曰食」[6]，「食」是人事所本，飲食是維持人民生活的

2 高明：〈孔子之禮論〉，收入李曰剛等著：《三禮研究論集》（臺北市：黎明文化公司，1981年），頁19。

3 〔清〕程樹德撰；程俊英、蔣見元點校：《論語集釋》（北京市：中華書局，1990年），頁1364。

4 孔子對於民眾教育的重視可見於《論語》〈子路〉〈13．9〉：「子適衛，冉有僕。子曰：『庶矣哉！』冉有曰：『既庶矣，又何加焉？』曰：『富之。』曰：『既富矣，又何加焉？』曰：『教之。』」

5 人最終總會面對死亡，若政府無法獲得百姓的信賴，國家就無法存在。（《論語》〈顏淵〉〈12．7〉）

6 〔漢〕孔安國傳，〔唐〕孔穎達正義；廖名春、陳明整理；呂紹綱審定：《尚書正義（十三經注疏）》（北京市：北京大學出版社，2000年），頁361。

最低限度要求，也是人生命的基礎之一，故應當予以重視。另外值得一提的是，對於「食」，孔子亦有所堅持，於〈鄉黨〉[7]可見《論語》中所提及對於飲食問題的陳述，可以窺見孔子對於飲食衛生的重視。孔子本人的飲食習慣因所面對的場合而有調節，例如孔子面對喪家而食，未曾吃飽。[8]另一方面可以得知「食」在《論語》中與「齋」（或作「齊」）有相當的關聯，故言：「齊，必變食，居必遷坐」[9]，生活習慣、飲食配合齋戒儀節會有所變更，而「齊」是為了祭祀活動進行的準備，祭祀活動的對象則以鬼神為主。人總會面對死亡，喪禮乃是處理環繞死亡的諸問題之處置事宜。喪禮完畢以後，接踵而來的是各種祭祀活動，古人除祭祀祖先以外，還有各類鬼神祭祀活動。

二　《論語》中的治喪禮儀事例

中國古代喪禮、喪服的資料保存相當完整，先秦時代的資料由《儀禮》、《禮記》保存。《儀禮》中有〈士喪禮〉、〈既夕禮〉、〈士虞禮〉三篇，《儀禮》保存先秦最早期喪葬資料。[10]《禮記》的記載內容不少是關於春秋時代人物行事的記錄，其中有大量篇幅是關於喪禮與喪服的記載，李曰剛指出《小戴禮》四十九篇中有十一篇是關於喪服記載。[11]資料完整緻密，篇幅龐大，可見古人對喪禮的重視並敬慎其

7　《論語》〈鄉黨〉〈10·8〉：「食不厭精，膾不厭細。食饐而餲，魚餒而肉敗，不食。色惡，不食。臭惡，不食。失飪，不食。不時，不食。割不正，不食。不得其醬，不食。肉雖多，不使勝食氣。唯酒無量，不及亂。沽酒市脯，不食。不撤薑食。不多食。祭於公，不宿肉。祭肉不出三日。出三日，不食之矣。食不語，寢不言。雖疏食菜羹，必祭，必齊如也。」

8　《論語》〈述而〉〈7·9〉：「子食於有喪者之側，未嘗飽也」。

9　《論語》〈鄉黨〉〈10·7〉

10　詳見周何：《古禮今談》（臺北市：萬卷樓圖書公司，1992年），頁124。

11　分別是〈曾子問〉、〈喪服小記〉、〈雜記上〉、〈雜記下〉（合〈喪服大記〉）、〈奔喪〉、〈問喪〉、〈服問〉、〈閒傳〉、〈三年問〉、〈喪服四制〉十一篇，記喪服之義，以明輕

事。《論語》本身雖未詳細描述喪禮過程，仍可參考相關保存先秦喪葬禮儀的文獻獲得認識。

《儀禮》〈士喪禮〉對士喪禮程序記載十分繁瑣，從始死到既殯，約包括四十三道程序。[12]《禮記》〈喪大記〉則簡單將下葬前各種程序簡略區分為五個部分：始卒、小斂、大斂、殯、葬，《論語》中可見關於其間部分儀式的記錄。

子曰：「出則事公卿，入則事父兄，喪事不敢不勉，不為酒困，何有於我哉！」[13]孔子對於喪禮極為重視，甚至將執行喪禮是否盡力當作自我省察的項目之一，甚至認為如果能做到這些事項，其他瑣事又與我有什麼關係呢？盡到自己該盡的本分，又何必太過在意其他事情呢？但是孔子卻鮮少在《論語》中談及治喪過程的詳細儀節。傅佩榮甚至認為孔子曾以為人辦理喪事為業；[14]白川靜也將儒者分為君子儒、小人儒，認為孔子將記錄喪禮事宜的男子視為「小人儒」。[15]《論語》中未詳談喪禮儀節，恐怕是因為喪禮對儒者而言十分熟悉，可說是當時儒者謀生常識，不需要再多加說明。對一般不以治喪為業的學生，由於術業有專攻，不需傳授繁雜的治喪事宜。所以《論語》中談論喪事總是以論參與喪禮的「態度」為主。

《論語》討論喪禮，主要著眼於喪禮對生者的安頓與喪禮的教化功能，少談喪禮中安置死者的問題。《論語》所載與對死者、瀕死者的安頓相關的篇章如下：

重之所由也。詳細分類見李曰剛：〈禮記名實考述〉，收入李曰剛等著：《三禮研究論集》，頁8。此外，〈檀弓上〉、〈檀弓下〉也有許多關於喪服的記載，值得參考。

12 詳見陳來：《古代宗教與倫理：儒家思想的根源》（北京市：生活．讀書．新知三聯書店，2009年），頁278-279。

13 《論語》〈子罕〉〈9．16〉

14 「孔子除了親自接觸的親友之死以外，還遠較一般人更有機會認識與死亡相關的事物。這是就他長期從事的職業而言。」見傅佩榮：〈孔子對死亡的某種定見〉，《哲學與文化》第32卷第4期（2005年5月），頁64。

15 詳見白川靜：《孔子伝》（東京：中央公論新社，1991年），頁74-75。

（一）生，事之以禮；死，葬之以禮，祭之以禮。[16]

（二）子疾病，子路請禱。子曰：「有諸？」子路對曰：「有之。《誄[17]》曰：『禱爾于上下神祇。』」子曰：「丘之禱久矣。」[18]

（三）子疾病，子路使門人為臣。病間，曰：「久矣哉！由之行詐也，無臣而為有臣。吾誰欺？欺天乎？且予與其死於臣之手也，無寧死於二三子之手乎？且予縱不得大葬，予死於道路乎？」[19]

（四）朋友死，無所歸，曰：「於我殯」[20]

（五）顏淵死，顏路請子之車以為之槨。子曰：「才不才，亦各言其子也。鯉也死，有棺而無槨。吾不徒行以為之槨。以吾從大夫之後，不可徒行也。」[21]

（六）顏淵死，門人欲厚葬之，子曰：「不可。」門人厚葬之。子曰：「回也，視予猶父也，予不得視猶子也。非我也，夫二三子也。」[22]

《論語》所記載關於安頓死者的問題大多是討論生者安頓死者時的行為是否合禮，所以分析這些章句時，應配合對於喪禮安頓死者的初步認識。且喪禮對死者的安頓與對生者的安頓、喪禮的教化功能三個面向是不可分割的。所以在分析《論語》對喪禮的觀點以前，必須參考

---

16 《論語》〈為政〉〈2．5〉

17 段式注曰：「讄，施于生者以求福。誄，施于死者以作諡。」（見《論語集釋》，頁502。）此處子路所欲行的是重病瀕死前祈禱，蓋為生者求福，故「誄」當為「讄」，集注作「誄」誤也。

18 《論語》〈述而〉〈7．35〉

19 《論語》〈子罕〉〈9．12〉

20 《論語》〈鄉黨〉〈10．22〉

21 《論語》〈先進〉〈11．8〉

22 《論語》〈先進〉〈11．11〉

《論語》所載的治喪事例，建立起對於喪禮安頓死者的基本理解。後文先討論喪禮安頓死者的功能，緊接著再討論喪禮對生者的安頓與喪禮的教化功能。

第二節　瀕死的「禱」

喪禮舉行的契機是人的死亡，因應死亡事件，喪禮有諸多儀式相配合。死前的準備過程至死後的治喪手續皆有明確規定，例如病危瀕死時，將瀕死者移動至屋中特定的位置，等待死者氣絕，並為病者更換衣服。[23]病人病情危急時，整理環境衛生，收藏琴瑟，停止音樂活動，使病人可以安養。將病人安置在北牆下以便休息，頭向東以吸收東方向陽之生氣。[24]「廢床」，鄭玄謂：「廢，去也。人始生在地，去牀，庶其生氣反。」[25]以象徵重現生機。此皆基於病人身體狀況考量，希望可以盡所有努力使病人回復生機。並且使人抓住病人手足，防止病人的四肢變形。為病者更衣，使病人可以莊重地經歷病危甚至是可能面臨的死亡歷程，維持病者尊嚴。同時，親屬審慎的處理方式、用盡諸法為求病者恢復生機的程序，以及親屬因病者的病弱改變生活習慣，特別是父母重病時子女哀傷憂慮以致改變了平日的習慣，[26]顯示出面對可能到來的親屬亡故事件的前置作業，其根本是發自於

---

23 《禮記》〈喪大記〉：「疾病，外內皆埽。君、大夫徹縣，士去琴瑟。寢東首於北牖下，廢牀，徹褻衣，加新衣，體一人。男女改服。屬纊以俟絕氣。男子不死於婦人之手，婦人不死於男子之手。」〔漢〕鄭玄注，〔唐〕孔穎達疏；龔抗雲整理，王文錦審定：《禮記正義（十三經注疏）》（北京市：北京大學出版社，2000年），頁1438-1439。

24 林素英：《古代生命禮儀中的生死觀：以《禮記》為主的現代詮釋》，頁76。

25 見〔清〕孫希旦：《禮記集解》（北京市：中華書局，1989年），頁1129。

26 《禮記》〈曲禮上〉：「父母有疾，冠者不櫛，行不翔，言不惰，琴瑟不御，食肉不至變味，飲酒不至變貌，笑不至矧，怒不至詈，疾止復故。有憂者側席而坐，有喪者專席而坐。」（《禮記正義（十三經注疏）》，頁77。）

親屬尊重與哀戚的真情流露。

在病者臨終階段裡，親屬還會舉行祈禱活動，希望可以藉由神的福佑，使得臨終者復生。參見：

（一）《儀禮》〈既夕禮〉：乃行禱於五祀。[27]

（二）《論語》〈述而〉：子疾病，子路請禱。子曰：「有諸？」子路對曰：「有之。《誄》曰：『禱爾于上下神祇。』」子曰：「丘之禱久矣。」[28]

親友性命危急卻束手無策之際，尋求神的協助是人之常情，孔門弟子在孔子重病時也不能排除這種求助於神的心理。禱告的行為一方面是源於對臨終者的一片孝心與愛心，滿足生者盡孝道的心意。另一方面則是立基於古代中國對於神的信仰。臨終祈禱於神祇的行為，除了情感的基礎以外，顯然反映了古代中國人，如子路，相信「上下神祇」之存在，並且人可能透過祈禱的方式與神祇取得溝通，從而獲得助祐。顯示當時人不僅相信鬼神，且以為神人關係是「相互贈與」式的。[29]

由《儀禮》所記，可見古代確有為瀕死親友祈禱的記錄，而祈禱的對象是「五祀」之神。重病時向鬼神祈禱的作法雖有其根據，然而孔子對於祈禱的對象卻與一般大眾有所不同。《論語》〈八佾〉王孫賈問曰：「『與其媚於奧，寧媚於竈。』何謂也？」子曰：「不然。獲罪於天，無所禱也。」[30]得罪天的話，向誰禱告都沒有用。此段落說明

27　〔漢〕鄭玄注，〔唐〕賈公彥疏；彭林整理；王文錦審定：《儀禮注疏（十三經注疏）》（北京市：北京大學出版社，2000年），頁886。

28　《論語》〈述而〉〈7．35〉

29　蒲慕州：《追尋一己之福：中國古代的信仰世界》（臺北市：允晨文化實業公司，1993年），頁88。

30　《論語》〈八佾〉〈3．13〉

孔子認為人的祈禱以至高的天為最終對象，如果獲罪於天，就算禱告於鬼神也無濟於事。而對於鬼神，孔子認為應保持「敬而遠之」[31]的態度，尊敬鬼神但不迷信鬼神，努力做人所應為之事並為百姓服務，才可謂明智。孔子不向神祇禱告，是由於天才是孔子的禱告對象，而且孔子時時保持對於天的禱告。因此，即便面臨重病之際，亦不願意勞煩神祇。[32]

盡了各種努力盼使病人復生卻失敗，病者氣絕之後，便要舉行「復」禮。《周禮》、《儀禮》、《禮記》中皆出現人死後，親友舉行復禮企圖使死者甦醒的相關記載。[33]根據鄭玄的解釋，復禮的目的乃是「招魂復魄也」。[34]由此可知，古人相信人死後可以用一種脫離軀體的形式持續存在。孝子在父母親屬斷氣前竭盡各種努力協助他們復生，在他們斷氣之後仍不忍輕易斷定他們已經死亡，情感上亦難以相信親友已經因死亡、遠離，故舉行復禮企圖可以招回脫離軀體以其他形式持續存在的親屬，盼能使脫離的部分再度回來，使斷氣者復生。[35]舉

31 《論語》〈雍也〉〈6·22〉:「樊遲問知。子曰:『務民之義，敬鬼神而遠之，可謂知矣。』問仁。曰:『仁者先難而後獲，可謂仁矣。』」

32 本書將於第三章再詳細討論孔子對於鬼神的態度。

33 《周禮》〈天官冢宰下〉:「夏采：掌大喪以冕服復于大祖，以乘車建綏復于四郊。」(《周禮注疏(十三經注疏)》，頁259。);《周禮》〈春官宗伯〉:「大喪，共其復衣服、斂衣服、奠衣服、廞衣服，皆掌其陳序。」(《周禮注疏(十三經注疏)》，頁658。);《儀禮》〈既夕禮〉:「復者朝服，左執領，右執要，招而左。」(《儀禮注疏(十三經注疏)》，頁887。);《儀禮》〈士喪禮〉:「士喪禮。死于適室，幠用斂衾。復者一，人以爵弁服，簪裳于衣，左何之，扱領于帶。升自前東榮，中屋，北面招以衣，曰:『皋某復！』三，降衣于前。受用篋，升自阼階，以衣尸。復者降自後西榮。」(《儀禮注疏(十三經注疏)》，頁759-763。)

34 鄭玄語。見《禮記正義(十三經注疏)》，頁1441。

35 對於復禮，余英時認為:「這個儀式表達了信仰，當魂與魄相分而離開軀體，生命就到了盡頭……他們先是假設魂的離開是暫時的，如果能將離去的魂喚回，那麼死者就能復活。只有當復禮沒有達到目的時，才宣布為死亡」。見余英時著，侯旭東等譯:〈魂歸來兮——論佛教傳入以前中國靈魂與來世觀念的轉變〉，收入《東漢生死觀》(臺北市：聯經出版社，2008年)，頁166。復禮的舉行以招魂復魄的信仰為

行復禮把握喚回氣絕者的最後一絲希望，在復禮失敗以後，才確認斷氣者死亡。因此《禮記》〈喪大記〉云：「唯哭先復，復而後行死事。」[36]除哭泣以外，所有喪禮活動皆自復禮完結以後才開始。復禮結束後，確定死者不可復生的事實，才開始進行「死事」，為亡者料理後事，正式開始各類治喪事宜。「禱」可說是瀕死者氣絕以前，親友所能盡的最後努力。

第三節　封藏形體的「棺」與「椁」

「棺」與「椁」是遺體下葬時，包裹在屍體最外層的器具。將遺體斂入棺內以前仍需行小斂，將屍體進行初步收藏。小斂以前還有清洗、端正遺體、飯含等儀節，下文將稍作說明。

人剛死，移動屍體、蓋上大斂時用以入殮的被子、為屍體更衣。近臣用角質的匙撐開牙關，用平日燕居的几倜限著腳，使其端正，[37]隨後清洗屍體。固定屍體使其不變形，清洗屍體維持其清潔，讓死者可以莊嚴地死去，是出於對死者的尊重與愛護。喪禮的第一件事就是為死者淨身，[38]清洗屍體儘量維持生前一般的作法，[39]雖然已經確認死者已經死亡的事實，但卻維持生前的作法，是出乎親屬對死者的不捨與愛心，所以〈檀弓上〉記載：「孔子曰：『之死而致死之，不仁而

基礎，人不因為死亡而隨即消失，還可以用魂魄的形式持續存在。復禮的最終目的就是招回斷氣者的魂魄，相信假若能使魂魄回到軀體，斷氣者便能復活。

36　《禮記正義（十三經注疏）》，頁1443。

37　《禮記》〈喪大記〉：「始死，遷尸於床，幠用斂衾，去死衣，小臣楔齒用角柶，綴足用燕几，君、大夫、士一也。」（《禮記正義（十三經注疏）》，頁1461。）

38　林素英：《古代生命禮儀中的生死觀：以《禮記》為主的現代詮釋》，頁86。

39　《禮記》〈喪大記〉：「小臣四人抗衾，御者二人浴。浴水用盆，沃水用枓，浴用絺巾，挋用浴衣，如它日」、「沐用瓦盤，挋用巾，如它日」（《禮記正義（十三經注疏）》，頁1462。）

不可為也。』」[40]缺乏對於死者的不捨與愛心，以為死者一了百了、徹底以對在死屍的方式對待亡故的親屬，是為「不仁」。

沐浴後行飯含之禮，是不忍讓親屬死後空著口。但是「飯用米、貝，弗忍虛也。不以食道，用美焉爾。」[41]飯含所用的是生米，不依活人飯食之道，是因為「之死而致生之，不知而不可為也。」[42]喪禮中生者對死者進行的各種行為，在不忍、愛心與理智之間作出取捨，不完全視死者為一了百了的屍體，也不完全將死者當作活人侍奉，在愛親之情與理智之間選擇中庸之道，對死者做出最妥善事宜的處理。如此一來，「始卒」期間的禮儀也告一段落。

將屍體清洗處理、進行飯含之禮以後，「商祝掩，瑱，設幎目」[43]，接著「襲，三稱」[44]、「設冒，櫜之」[45]。襲尸或稱小斂，[46]為死者屍體穿衣，並且設冒，將死者屍首套起來，掩蔽死者形體，使屍體的形貌不會暴露出來。[47]簡言之，小斂是指給死者沐浴、穿衣、覆食，一

---

40 《禮記正義（十三經注疏）》，頁265。

41 《禮記》〈檀弓下〉（《禮記正義（十三經注疏）》，頁310。）

42 《禮記正義（十三經注疏）》，頁265。

43 《儀禮》〈士喪禮〉（《儀禮注疏（十三經注疏）》，頁787。）

44 《儀禮》〈士喪禮〉（《儀禮注疏（十三經注疏）》，頁787。）

45 《儀禮》〈士喪禮〉（《儀禮注疏（十三經注疏）》，頁789。）

46 鄭志明：《中國殯葬禮儀學新論》（北京市：東方出版社，2010年），頁77。

47 關於「襲」、「冒」的作用，林素英認為：除了將屍體的形貌加以裝飾之外，仍須將屍體加以遮掩，使生者能壓抑對屍體的厭惡與畏懼的心理。所以在「襲」之後，死者的頭臉雖已不能看見，但是形體仍然可見，因而要再用「冒」套住全身。至此，則整個形體都在布袋的裝裹下而不可見了。克服了對屍體的厭惡感之後，哀痛之情才能盡情的流露出來。見林素英：《古代生命禮儀中的生死觀：以《禮記》為主的現代詮釋》，頁93-95。這種說法蓋出於《荀子》〈禮論〉：「喪禮之凡：變而飾，動而遠，久而平。故死之為道也，不飾則惡，惡則不哀；尒則翫，翫則厭，厭則忘，忘則不敬。一朝而喪其嚴親，而所以送葬之者，不哀不敬，則嫌於禽獸矣，君子恥之。故變而飾，所以滅惡也；動而遠，所以遂敬也；久而平，所以優生也。」見〔清〕王先謙撰；沈嘯寰、王星賢點校：《荀子集解》（北京市：中華書局，1988年），頁362-363。

方面展現生者對於死者的尊重；另一方面，還能避免死者屍體扭曲變形，以達到保存屍體的效果，並滿足生者對亡故親屬愛親之情。因為屍體的善加保存，生者免除了厭惡與恐懼，內心的哀情就更容易流露。

小斂畢後，則準備進行大斂，將遺體移入棺木。斂禮可分成小斂與大斂，小斂是指初終禮儀的襲衣儀式，其目的在於妥善地裝飾遺體；大斂是將遺體移入棺木內的儀式。依照身分、財力，封存遺體的棺以外可能仍有「椁」作為棺外的套棺。[48]入殮的儀式大多是在小斂的次日，死後的第三天舉行，其用意在於期待亡者的復生。[49]小斂與大斂儀式結束以後便可開始安排陪葬品與進行殯禮。停殯期因死者身分不同而有長短之別，方便親友從遠方趕來送葬。殯禮接下去的節目就是出殯安葬，既葬之後，死者的形體不再存在，因此由大斂到下葬，也正是由有形到無形的一段轉變。[50]將靈柩移動到車上，在眾人執紼牽引下到達墓地，再由眾人將靈柩放入墓穴中。在眾人目送下安葬死者的形體以後，對於死者形體的安頓也就告一個段落。

《論語》中曾提及「棺」與「椁」的問題。參見《論語》〈先進篇〉：

> 顏淵死，顏路請子之車以為之椁。子曰：「才不才，亦各言其子也。鯉也死，有棺而無椁。吾不徒行以為之椁。以吾從大夫之後，不可徒行也。」[51]

---

48 《禮記》〈月令〉：「飭喪紀，辨衣裳，審棺槨之薄厚，塋丘壟之大小、高卑、厚薄之度，貴賤之等級。」（《禮記正義（十三經注疏）》，頁640。）

49 鄭志明：《中國殯葬禮儀學新論》，頁80。

50 《古禮今談》，頁158。

51 《論語》〈先進〉〈11．8〉

此處的「椁」作「停殯時載柩用的禮車」，[52]而不是下葬時所用的外棺。顏路欲向孔子借車作為顏淵殯時的禮車，由身分來看，顏淵與孔鯉皆為士階層，停殯時不用禮車，而是「士殯見衽，塗上帷之」[53]。參考同篇後幾章，可知門人欲厚葬顏淵，「顏淵死，門人欲厚葬之，子曰：『不可。』門人厚葬之。子曰：『回也，視予猶父也，予不得視猶子也。非我也，夫二三子也。』」[54]門人希望可以隆重地為顏淵舉行喪禮，身為父親的顏路欲借車以當作停殯用的禮車來厚葬顏淵，二者皆有違禮的精神。

喪具的使用方面，《禮記》〈檀弓下〉云：「子路曰：『傷哉貧也！生無以為養，死無以為禮也。』孔子曰：『啜菽飲水，盡其歡，斯之謂孝。斂首足形，還葬而無椁，稱其財，斯之謂禮。』」[55]子路感嘆貧窮使子女在父母生時無法好好供養他們，死後又沒辦法舉辦喪事。但孔子認為如果能使父母生時得到精神上的滿足，死後有衣衾斂藏形體，斂畢旋即下葬，沒有棺槨，但是符合自己的財力舉行，那就是「禮」。[56]《禮記》〈檀弓上〉：「子游問喪具。夫子曰：『稱家之有亡。』子游曰：『有亡惡乎齊？』夫子曰：『有，毋過禮；苟亡矣，斂

---

52 「顏路請車為椁，蓋欲殯時以孔子之車菆塗為椁，非葬時之椁也。」詳見宦懋庸：《論語稽》，引自《論語集釋》，頁752。《論語集釋》考證中引用宦懋庸於《論語稽》所提出的八項理由，指出此處的「椁」應作靈車之意。諸侯停殯時便將柩放在輴車上，恐怕是因為「棺柩重大，猝難移徙，故預為之備如此。」（引自《禮記集解》，頁1182。）根據《禮記》〈喪大記〉：「君葬用輴，四綍二碑，御棺用羽葆。大夫葬用輴，二綍二碑，御棺用茅。士葬用國車，二綍無碑，比出宮，御棺用功布。」（《禮記正義（十三經注疏）》，頁1500-1501。）啟殯出葬時，國君用「輴」、大夫用「輇」、士用「國車」運送靈柩，各階層因尊卑之差，所用柩車各異，但國君、大夫、士皆可使用禮車載運棺柩至墓地。

53 《禮記正義（十三經注疏）》，頁1493。

54 《論語》〈先進〉〈11・11〉

55 《禮記正義（十三經注疏）》，頁342-343。

56 同前註。

首足形，還葬，縣棺而封。人豈有非之者哉。』」[57]喪禮葬具依照經濟條件仍可權衡取捨，不需要勉強配合，內心的真誠哀情，才是喪禮的根本。顏路向孔子請車當作停殯時的靈車，一方面僭禮，另一方面「厚葬」，顯然沒有考慮自己的經濟狀況。故孔子曾說：「喪，與其易也，寧戚。」[58]喪禮與其儀式周全，不如心中哀戚。若經濟條件不許可，不需要刻意「厚葬」，只要能抱持哀戚之情，就是禮了。勉強配合禮節「厚葬」亡者，並非禮之本意。治喪使用錢財，應視財力是否許可，若不能盡美，則以盡心意為主，盡力將遺體的形體斂藏即可。又何況士階級不應在停殯時使用「車」，天子、諸侯才於停棺時用禮車，孔子本身的身分也不應該徒步而行，所以孔子並未答應顏路。

第四節　治喪之「臣」

喪禮儀節繁瑣細密，設有特定人選負責辦理為死者舉行喪禮，依照身分階級之不同，儀式的負責人各有所不同。例如前文所提到的「復禮」，在舉行復禮上屋招魂時，如果封邑內有山林，就由掌管山林的虞人安置梯子；如果沒有山林，就由掌管「復」事的狄人安置梯子。[59]負責招魂的人選由「小臣」擔任，鄭玄注曰：「小臣，君之近臣也」。[60]「臣」亦見於《論語》，《論語》〈子罕〉記載孔子重病時，子路安排孔子的學生們為「臣」，受到孔子叱責：

> 子疾病，子路使門人為臣。病間，曰：「久矣哉！由之行詐

---

57 《禮記正義（十三經注疏）》，頁275-276。

58 《論語》〈八佾〉〈3・4〉

59 《禮記》〈喪大記〉：「復，有林麓則虞人設階；無林麓則狄人設階。」（《禮記正義（十三經注疏）》，頁1441。）譯文引自王夢鷗註譯，王雲五主編：《禮記今註今譯》（臺北市：臺灣商務印書館，2009年），頁766-767。

60 《禮記正義（十三經注疏）》，頁1441。

> 也，無臣而為有臣。吾誰欺？欺天乎？且予與其死於臣之手也，無寧死於二三子之手乎？且予縱不得大葬，予死於道路乎？」[61]

小臣除需負責招魂之禮，在處理亡者遺體時，「小臣」還負責「楔齒用角柶，綴足用燕几」、「小臣四人抗衾」、「小臣爪足」、「小臣爪手翦須」、「小臣鋪席」，[62]小臣所負責的事務部分與死者遺體直接碰觸，「皆與死者親，故曰死於臣之手。」[63]

「然唯諸侯之喪為然，天子則用夏采喪祝。若大夫士之喪，則抗衾爪揃皆用外御，賓客哭弔，以擯者掌之，以本無小臣故也。春秋之世，大夫而僭侯禮，於是乎本無小臣，因喪事而立之，故曰『無臣而為有臣』。」[64]子路的行為是僭越侯禮，所以遭到孔子指責。孔子認為僭越禮法是欺瞞天的行為，由此可見，孔子依禮行事，是「順天」[65]而行。孔子之所以叱責子路「欺天」，乃是由於當時有將「天」視為禮的起源的觀念。[66]春秋時代已有《左傳》〈文公十五年〉：「禮以順天，天之道也」[67]、《左傳》〈昭公二十五年〉：「夫禮，天之經也，地

---

61 《論語》〈子罕〉〈9．12〉

62 詳見《禮記》〈喪大記〉，《禮記正義（十三經注疏）》，頁1461-1476。

63 王夫之語。見〔清〕王夫之撰：《四書稗疏》，引自《論語集釋》，頁599。

64 同前註。

65 傅佩榮：〈孔子對死亡的某種定見〉，頁63。

66 加藤常賢認為：「在春秋時代已經有『夫禮，天之經也。』(《左傳》〈昭公二十五年〉)的禮之起源論出現。」見加藤常賢：《中國古代倫理學の發達》（東京：二松學舍大學出版部，1983年），頁51。

67 季文子曰：「齊侯其不免乎？己則無禮，而討於有禮者，曰：『女何故行禮？』禮以順天，天之道也。己則反天，而又以討人，難以免矣。」楊伯峻：《春秋左傳注》（上冊）（臺北市：洪葉文化事業公司，1993年），頁614。《左傳》中已經直接用「反天」一詞代指「反禮」，可見當時「反禮」的行為就被視為是一種「反天」的作為。

之義也，民之行也。」[68]這樣的說法存在。

孔子順天而行的作風還可見於《論語》〈八佾〉王孫賈問曰：「『與其媚於奧，寧媚於竈。』何謂也？」子曰：「不然。獲罪於天，無所禱也。」[69]孔子認為天是不應得罪的，若得罪了天，向其他任何神祇祈禱都是沒有用的，將天視作最崇高的祈禱對象。天一方面不應得罪，一方面反禮就視同反天，所以孔子以「欺天」叱責子路違禮的行為。由此可知，孔子遵守禮儀，並不是一種盲目的依照儀節規定而行，而是由於順天行事使然。

第五節　「精」的安頓──「歸」

喪禮的各項儀節皆顯示喪禮預設死者死後，死者雖然已經脫離軀體的限制，但是仍然持續存在。喪禮的基本目的除了處理埋葬死者軀體，使屍體得到安頓，還需要顧及死者之「精」的安頓。故《禮記》〈問喪〉論及參加喪禮者所做的各項具體活動所具有的作用時說：「故曰：辟踊哭泣，哀以送之，送形而往，迎精而反也。」[70]顯示死者安置中包含兩個面向，一是死者屍體的安置，一是死者「精」[71]的

68 《春秋左傳注》（上冊），頁1457。

69 《論語》〈八佾〉〈3．13〉

70 《禮記正義（十三經注疏）》，頁1791。

71 喪禮一方面顧及屍體安置，另一方面安頓死者所餘之「精」。根據《禮記》〈祭義〉中對於「鬼神」的解釋，宰我曰：「吾聞鬼神之名，而不知其所謂。」子曰：「氣也者，神之盛也。魄也者，鬼之盛也。合鬼與神，教之至也。眾生必死，死必歸土，此之謂鬼。骨肉斃於下，陰為野土。其氣發揚于上，為昭明，焄蒿悽愴，此百物之精也，神之著也。因物之精，制為之極，明命鬼神，以為黔首則，百眾以畏，萬民以服。」（《禮記正義（十三經注疏）》，頁1545-1546。）可見「精」在《禮記》中被尊名為「鬼神」。又《禮記》〈祭法〉：「其萬物死皆曰折，人死曰鬼，此五代之所不變也。」（《禮記正義（十三經注疏）》，頁1514。）顯示人死後脫離肉體限制，而以鬼神的形式存在。

安頓。先秦時代古人相信死者除了屍體以外，還可以用其餘形式存續，除了「精」以外，最常見的稱呼是「鬼」。

喪禮過程中舉行祭祀使靈魂得到安息之所。[72]如果死者未接受妥善的治喪禮儀，死者的「形」與「精」皆無法獲得安頓，死者所成的「鬼」便會造成危害。[73]安置死者之「形」與「精」是屍體安置的重要目的之一，先秦時即將掩屍、埋骨視為重要的工作，避免屍骨暴露於外而為祟。[74]先秦時代這種因為對於死者為祟的恐懼，而藉由喪葬平息死者的方式，十分切合現代人類學的研究，林惠祥對葬儀及葬式的看法：

> 由於崇拜死人之故，對於其屍體的處置便生出許多儀式來。家裡有死人，必定改變平時的形狀，如斷髮、繪身、或穿著特別衣服等。其初，大約不是為紀念，而是由於懼怕的心理。[75]

林氏的觀點應該是本自斯賓賽所提出的鬼魂說。[76]此說對照先秦文獻中關於喪葬的記載，可說相當適當。由《儀禮》、《禮記》中記載的喪

72 「等到虞祭舉行過後，死者的靈魂以適其先祖，得到安息之所而成了鬼神。」見章景明：〈喪之禮吉凶觀念之分別〉，收入李曰剛等著：《三禮研究論集》，頁178-179。

73 著名的例子如《左傳》〈昭公七年〉：「鄭人相驚以伯有，曰：『伯有至矣！』則皆走，不知所往。鑄刑書之歲二月，或夢伯有介而行，曰：『壬子，余將殺帶也。明年壬寅，余又將殺段也。』及壬子，駟帶卒，國人益懼。齊、燕平之月，壬寅，公孫段卒，國人愈懼。其明月，子產立公孫洩及良止以撫之，乃止。子大叔問其故。子產曰：『鬼有所歸，乃不為厲，吾為之歸也。』」(《春秋左傳注》(上冊)，頁1291-1292。)

74 詳見林素娟：〈先秦至漢代禮俗中有關厲鬼的觀念及其因應之道〉，《成大中文學報》13期(2005年12月)，頁59-94、83-85。

75 林惠祥：《文化人類學》(新北市：Airiti Press，2010年)，頁271。

76 林惠祥認為斯賓賽的學說有三要素：第一以恐懼(fear)為宗教的根本，第二以鬼魂的觀念為宗教發生的原因，第三以祖先崇拜(ancestor worship)為最原始的宗教，以為各種宗教都是從它變來的。見林惠祥：《文化人類學》，頁304。

禮儀式可知，喪禮的設立預設了人死後仍可持續存續的觀念。最顯著的事例如復禮，復禮的實施應當本自人死而不絕的觀念，肯定人死後可以存續，行使招魂的「復」禮，必以有「魂」可復為前提。[77]《論語》中雖然沒有關於「精」或「魂」的記載，但卻展現出對於喪禮的重視，與《禮記》所載的喪儀亦相當一致。

《論語》：「生，事之以禮；死，葬之以禮，祭之以禮。」[78]對父母盡孝，除了生前以禮事之，父母死後還必須依禮來埋葬、祭祀父母。《論語》除了探討子女對在世的父母盡孝，還關注子女在父母死後的孝行。筆者推斷，不僅是因為對於父母的愛親之情不因父母的亡故而一同消逝，也是由於中國古代相信人死以後可以成為鬼繼續存在之故。因此，除了盡愛親之情以外，還為了避免讓父母的「形」與「精」不能獲得安息，甚至成為「厲」，所以喪、葬都必須合乎禮來執行。對於朋友的死亡亦若是，因此《論語》〈鄉黨〉：「朋友死，無所歸，曰：『於我殯。』」[79]提供亡故朋友「歸」所，不僅是提供軀體的安頓，同時也使朋友的精魂獲得安息。

第六節　小結

以《論語》為中心並參考《儀禮》、《禮記》可知，先秦喪禮對死者的安頓是建立在「形」與「精」兩面的處置工作上。在瀕死者斷氣以前，生者考量瀕死者的身體狀況，使其可以受到妥當的照護而得以安養。瀕死者危篤之際，生者基於對死者的愛心，透過祈禱尋求神的福佑，企圖使瀕死者重現生機。當瀕死者終不得脫離險境斷氣以後，生者基於人死後精魂仍可存續的想法，展開復禮，設法挽回脫離形體

77 林素英：《古代生命禮儀中的生死觀：以《禮記》為主的現代詮釋》，頁81。

78 《論語》〈為政〉〈2・5〉

79 《論語》〈鄉黨〉〈10・22〉

的死者。直至復禮無功而返，才正式確認死者已經死亡的事實，治喪的各種節目由此才開始。

確認死者已逝之後，生者進行清洗屍體、端正遺體、飯含等儀節，並加以小斂、大斂，避免死者的屍體扭曲變形。過程中部分維持生前的作法，不將死者形體視為一死百了的糟粕對待。小斂、大斂封藏形體，讓死者得以保有莊重儀容經過死亡的過程，不至於立即腐化，滿足生者的愛親之情。同時因為對於死者「形」的妥善保存，消除生者的恐懼與厭惡，使生者更易於顯露內心誠摯的哀情。

將死者形體下葬以後，死者形體不復見，表示死者從有形以至無形的轉變過程。下葬後迎接死者之精返家進行祭祀，死者的精魂獲得安息，「虞而立尸，有几筵，卒哭而諱，生事畢而鬼事始已。」[80]虞祭行過後，接著舉行卒哭與祔祭，吉凶的觀念便有所轉變。[81]卒哭祭時，用事鬼神之禮對待死者，說明安置死者形體以後，還必須迎回死者之精加以安頓。由上述可知，喪禮一方面涉及對於死者形體的安頓，另一方面還涉及對於死者精魂的安頓。由死者斷氣之初的復禮亦可知，完整喪禮的流程，建立在於人的「形」與「精」二重結構上。

執行喪禮的最理想狀態是依禮而行，使死者的「形」與「精」皆得對妥善安頓。然而孔子雖說「死，葬之以禮，祭之以禮。」[82]但是由於各家庭經濟條件有所差異，部分人無法為亡故親屬準備完備的葬具、儀式，則須衡量財力，對於難以兼具禮之本末時則以本為重，展現內心的真誠哀情，盡力斂藏安頓死者屍體，而以盡心意為主。相反地，即便經濟條件上有餘裕，也不應該厚葬死者，否則就是一種「欺天」的行為。

由上可知，喪禮對於死者的安頓包含「形」與「精」兩面向。然

---

80 《禮記》〈檀弓下〉（《禮記正義（十三經注疏）》，頁359。）

81 見章景明：〈喪之禮吉凶觀念之分別〉，收入李曰剛等著：《三禮研究論集》，頁177。

82 《論語》〈為政〉〈2·5〉

而喪禮的舉行意義並不止於對死者的安頓，整個喪禮過程中的參與成員除了被動接受治喪事宜的死者以外，辦理治喪事宜的生者也扮演相當重要的角色。喪禮不單只是對於死者發生作用，也對於參與的生者發揮影響。《論語》中關於喪禮的記載，大多著重對生者的安頓與教化功能，論態度多於論儀節。安頓生者包含生理與心理兩面，如何透過喪禮安頓生者、又如何以喪禮對生者進行教化，將於後續章節詳細探討。

第二章
喪禮對生者的安頓功能

本章解析《論語》對居喪者生理行為、心理情感的描寫，說明喪禮的第二種功能——對生者的安頓。對生者的安頓包含生理與心理兩個層面，由臨喪者的生理行為分析其所源出的情感，說明喪禮儀節是因應臨喪者情感而設，考察《論語》中的喪禮與情感基礎的關係。

第一節　「哭」

親友的亡故往往最能撼動生者的情感，使人的內心情感真實流露。《論語》中所出現於親友亡故時，情感流露所引發的行為如「哭」：「顏淵死，子哭之慟。從者曰：『子慟矣！』曰：『有慟乎？非夫人之為慟而誰為？』」[1]面對親友的亡故，生者難掩內心哀痛之情，最常出現的反應就是「哭」。喪失至親，內心的哀痛無比激烈，人往往自然地就會由「哭」這一種生理活動展現出內心的悲痛之情，所以〈間傳〉云：「斬衰之哭，若往而不反；齊衰之哭，若往而反；大功之哭，三曲而偯；小功緦麻，哀容可也。此哀之發於聲音者也。」[2]雖然因為親屬關係遠近差異，哭的程度有所不同，但是哭是最根本表現內心哀傷情感的方式，子曰：「居上不寬，為禮不敬，臨喪不哀，吾何以觀之哉？」[3]「哭」是源自哀情的最常見反應，而「哀」是《論語》中面對死亡對基本的情緒反應，表現出對生命的尊重。所以

1　《論語》〈先進〉〈11．10〉
2　《禮記正義（十三經注疏）》，頁1807。
3　《論語》〈八佾〉〈3．26〉

在顏淵死時，孔子很自然地因為真情流露而哭得非常悲痛。如果不把這種悲傷的情緒宣洩出來，不能完遂哀傷過程，不能終止哀悼，那麼，這種哀傷的情緒就是造成各種生理、心理疾病的潛在危機，[4]故哭的行為在喪禮中成為諸儀節中相當重要的一環。「哭」之禮是因應參與喪禮者的情感而設，顯示儀式可用來表達參與者感情與願望。[5]《禮記》中記載「哭踊」具有透過身體活動安定情緒與平息血氣的作用，[6]居喪者得以在喪禮過程中，藉由哭泣的行為表露、調解哀傷情緒與身體狀況，顯示喪禮的儀節具有安頓生者身心的功能。

哀痛哭泣雖是人類的自然反應，但是《論語》〈子張〉：「子游曰：『喪致乎哀而止。』」[7]面對喪禮雖然令人悲痛，但仍不該因為哀毀傷生。《禮記》中記載了許多對於哭的限制，節制哭泣程度及時機，藉由種種「善意限制」，[8]使服喪者可以適度調節內心情感，不致哀傷之情感過度導致傷害身體。各種喪禮儀式皆在復禮失敗、確認病

---

4 林素英：《古代生命禮儀中的生死觀：以《禮記》為主的現代詮釋》，頁138。

5 楊寬對於禮的起源說：「『禮』的起源很早，遠在原始氏族公社中，人們已經慣於把重要行動加上特殊的禮儀。原始人常以具有象徵意義的物品，連同一系列的象徵性動作，構成種種儀式，用來表達自己的感情和願望。」見楊寬：〈冠禮新探〉，收錄於杜正勝編：《中國上古史論文選集》（下冊）（臺北市：華世出版社，1979年），頁1087。喪禮中的種種儀式展現對於亡故親屬的精與形的安頓願望，並且具有展現參與者情感的作用，透過一連串象徵性動作構成儀式，成為禮的基礎。喪禮的基本構造中，對於「哭」禮的各種描述顯示，「哭」作為構成喪禮的一種儀式，可以用來象徵並表現參與者內心的哀情。

6 《禮記》〈問喪〉：「三日而斂，在牀曰尸，在棺曰柩。動尸舉柩，哭踊無數。惻怛之心，痛疾之意，悲哀志懣氣盛，故袒而踊之，所以動體、安心、下氣也。」（《禮記正義（十三經注疏）》，頁1791。）

7 《論語》〈子張〉〈19．14〉

8 關於「哭」的禮儀作為一種「善意限制」，周何說：「在奠祭當場，難免會悲從中來，大哭一場，此所謂『朝夕哭』。就是說每天只准哭這麼一次，此外則限制在人前不許再哭。表示到這時候應該能練習著忍住傷痛，儘量把悲哀隱藏於內心，日常生活中面對別人時才能逐漸地恢復正常，這就是出自善意限制的禮節之一。」（周何：《古禮今談》，頁172。）

者已經死亡以後才開始，惟有「哭」可以在復禮以前就開始。「哭」早先於其他各項喪禮禮儀，率先於復禮結束以前便可以開始，顯示出古代喪禮前後過程合乎人情。[9]《論語》〈八佾〉：「林放問禮之本。子曰：『大哉問！禮，與其奢也，寧儉；喪，與其易也，寧戚。』」[10]喪禮對真誠心意的強調，更甚於其他的禮。[11]「哭」出乎真情流露，乃人情之實，[12]真誠心意是喪禮的根本，由古代喪禮節目的設計可知，喪禮除了強調儀節的實踐，也應重視內心情感的基礎。

第二節　喪禮的情感基礎——「哀」、「戚」

依據《論語》所述，喪禮最基本的情感基礎就是「哀」。面對死亡，人往往無能為力，在莫可奈何的情況下，悲傷哀痛就是人最直接的情感表現。《論語》中「哀」字總共出現過六次，五處與死（及喪）有關，[13]大部分都是因為求生意志或使死者生命繼續存續的意志不得遂，因而產生哀怨的情感反應，或是用於喪禮中，以哀情表現對逝去的生命無限不忍、惋惜與尊重之意。其中《論語》所載於喪禮場合中所展現的「哀」字如下：

（一）子曰：「居上不寬，為禮不敬，臨喪不哀，吾何以觀之

---

9 《禮記》〈喪大記〉云：「唯哭先復，復而後行死事。」（《禮記正義（十三經注疏）》，頁1443。）「哭」之所以可以先於其他喪禮儀式，在復禮以前便開始進行，反映出禮本乎人情、配合人情的權衡。因此在親友斷氣以後便可以開始哭泣，不必等到復禮結束確認親友已死才和其他喪禮儀式一同開始。

10 《論語》〈八佾〉〈3・4〉

11 傅佩榮：《傅佩榮解讀論語》，頁47。

12 《禮記》〈問喪〉：「故哭泣無時，服勤三年，思慕之心，孝子之志也，人情之實也。」（《禮記正義（十三經注疏）》，頁1792。）

13 見傅佩榮：〈孔子情緒用語的兩個焦點：怨與恥〉，《哲學雜誌》第36期（2001年8月），頁12。

哉？」[14]

（二）子張曰：「士見危致命，見得思義，祭思敬，喪思哀，其可已矣。」[15]

（三）子游曰：「喪致乎哀而止。」[16]

三段有關喪禮中展現哀情的篇章，雖分屬孔子與弟子的發言，但三者立場一致，皆以「哀」為喪禮參與者所應具備的根本情感表現，顯示喪禮以哀情為根本。「哀」是生者面對死者逝去時，由於面對死者的猝逝，或者經過一番努力搶救卻無法改變死者已逝事實，而產生的悲痛與錯愕之情。並且因為死亡事實的不可逆性，「哀」還包含束手無策、莫可奈何的憾恨之感。《論語》屢次強調喪禮必須奠基於哀情之上，可見喪禮特重臨喪者的內心情感流露。

如果只是勉強配合儀節，卻缺乏內心的哀情，那麼喪葬禮儀也僅是空虛的儀式而已。因此，孔子在討論禮的根本道理時說：「禮，與其奢也，寧儉；喪，與其易也，寧戚。」[17]喪禮與其只是配合鎖碎的繁文縟節、儀式周全，卻沒有情感的依據，不如心中哀戚。「戚」與「哀」是兩種相似的情感表現，[18]「禮」可區分為外在儀節的實踐與心意情感基礎兩面，禮以心意情感基礎為根本。

---

14 《論語》〈八佾〉〈3・26〉

15 《論語》〈子張〉〈19・1〉

16 《論語》〈子張〉〈19・14〉

17 《論語》〈八佾〉〈3・4〉

18 「言喪禮徒守儀文之節，而哀戚之心浸以怠弛，則禮之本失矣……蓋易者哀不足，戚者哀有餘。〈檀弓〉子路曰：『吾聞諸夫子：喪禮與其哀不足而禮有餘也，不若禮不足而哀有餘也。』義與此同。」詳見五河君：《經義說略》，引自〔清〕程樹德撰；程俊英、蔣見元點校：《論語集釋》（北京市：中華書局，1990年），頁145。「哀」與「戚」兩者經常被交互使用，也被連用作「哀戚」一詞，可見意義相近，係兩種相似的情感表現。傅佩榮則認為「戚」是「描寫了愁眉苦臉的樣子，應該也是出於所欲不遂的怨氣吧。」（見傅佩榮：〈孔子情緒用語的兩個焦點：怨與恥〉，頁12-13。）

> 所謂禮者即是人情的自然要求，並不是人情外面假設的形式……禮之根本即是人情。人有情便頂好，不在許多繁文縟節。孔子所認為不好的，就是不動情……他著重哀情，完全在人情……理者是出於我們的心情自然之表示……禮既重在心情，如果心情未到某一地步，也不必要那虛假的禮。寧不足於禮，不可不足於情。禮可簡約，心情則不可澆薄。[19]

喪禮重視內心情感的真誠流露，「哀」與「戚」皆是源於參與者內心真誠的心意，故朱注引用楊時的說法：「戚者心之誠，故為禮之本」。[20]

《論語》中所見的喪禮，皆以內心真誠的哀戚之情為必要的內在基礎，以外在的儀節為表現形式，而以內為重。喪禮奠基於哀戚之情，同時作為哀戚之情的表露與宣洩場合。面對親友逝世的事實，生者只能無能為力地在喪禮流程中體察死者已逐漸遠離，在一道道程序中逐步化解心中對於死亡莫可奈何的情緒。但是過度的情感宣洩難免傷身，所以應該有所調節，「喪致乎哀而止」[21]，居喪充分表現哀戚就可以了。《禮記》〈檀弓上〉：「哀則哀矣，而難為繼也。夫禮，為可傳也，為可繼也，故哭踊有節。」[22]禮的制訂是配合大眾所能行的程度，是人人都能行、都能達到的標準節度。雖需充分表現哀情，但喪禮最高原則為不以死傷生，因此凡有危及生者生命的，均在權宜行事的範圍之列，[23]故禮另一方面還積極防治因過度的哀情而造成對生者的傷害。喪禮規範了居喪時的行為標準，超過禮儀規定的期限之後，就應該收拾感傷的情緒重新振作，回到往日的日常生活，喪禮實為一種對

---

19 李淵庭、閻秉華整理：《梁漱溟先生講孔孟》，頁72-73。

20 〔宋〕朱熹：《四書章句集注》（臺北市：大安出版社，1999年），頁82。

21 《論語》〈子張〉〈19．14〉

22 《禮記正義（十三經注疏）》，頁259。

23 林素英：《古代生命禮儀中的生死觀：以《禮記》為主的現代詮釋》，頁132。

於生者合乎節制的身心安頓。

喪禮繁瑣的步驟，實質上具有協助參與者控制、收斂內心悲痛的效用。喪禮的各項儀節設立，皆是為了協助參與者適切地展現內心的哀情。[24]喪禮由始卒、小斂、大斂、殯、葬，透過層層儀式掩藏死者的屍體，將死者與生者隔離。關於喪禮的安排，周何指出：

> 一道又一道喪禮的安排，主要的是讓生者實際體察與死者逐漸地「隔離」，瞭解親人已經確實遠離我們，不可能再回復的事實，於是必須練習控制自己的情緒，收斂內心的悲痛，在適當的時間以內恢復正常……如果人人都因此而消沈頹廢，則整個社會人群都會陷於嚴重的癱瘓。因此必須設計安排層層的節目，一方面給予當事人在情緒極度激動之下，因一次又一次的宣泄，得以逐漸抒解其沈重的痛苦；一方面藉細密繁縟而分段進行的歷程，以體會漸次遠去的隔離方式，促使自己收斂隱藏，節哀順變，以保社會人群的一分元氣。因此儀節越是細密，而其恢復正常的過程也越自然，由此可見喪禮的繁重是有其必要的。[25]

24 見《禮記》〈間傳〉：「斬衰貌若苴，齊衰貌若枲，大功貌若止，小功、緦麻容貌可也。此哀之發於容體者也。斬衰之哭，若往而不反；齊衰之哭，若往而反；大功之哭，三曲而偯；小功緦麻，哀容可也。此哀之發於聲音者也。斬衰唯而不對，齊衰對而不言，大功言而不議，小功、緦麻議而不及樂。此哀之發於言語者也。斬衰三日不食，齊衰二日不食，大功三不食，小功、緦麻再不食；士與斂焉，則壹不食。故父母之喪，既殯食粥，朝一溢米，莫一溢米；齊衰之喪，疏食水飲，不食菜果；大功之喪，不食醯醬；小功、緦麻，不飲醴酒。此哀之發於飲食者也……父母之喪，居倚廬，寢苫枕塊，不說絰帶。齊衰之喪，居堊室，芐翦不納。大功之喪，寢有席。小功、緦麻，牀可也。此哀之發於居處者也……斬衰三升，齊衰四升、五升、六升，大功七升、八升、九升，小功十升、十一升、十二升。緦麻十五升去其半，有事其縷、無事其布曰緦。此哀之發於衣服者也。」(《禮記正義（十三經注疏）》，頁1807-1808。)

25 周何：《古禮今談》，頁125。

喪葬在功能面上可以透過喪葬祭祀禮儀來安頓撫慰生者的哀傷情感、使生者抒發面對親屬步入死亡時的哀戚之情。親友亡故讓生者哀傷惋惜，是一般人鮮有的充分展現真情的關鍵時機。殯葬禮儀的目的，不只是用來規範外在的行為儀節，更重要的是用來調節人類的心理情感。[26]設置喪禮的理由並不在於使哀情擴大蔓延，而是以居喪者的哀情為根本，藉由儀式輔助展現真情。使居喪者體察死者漸漸離去的事實，在哭踴之間紓解生者的哀傷憾恨，並且透過一道道喪禮流程使生者逐漸釋懷，在喪禮告終時可以重新回歸正常生活。喪禮協助參與者妥善展現情感、化解情緒以不致傷身，並透過節目的制訂，引導參與者可以逐步回歸平日生活，可見喪禮實際上兼具安頓生者身、心之效。

第三節　真情顯露的契機——「自致」

人際相處時，展現自己內心的真實情感並將之表現為外顯的神色是很不容易的，即使是面對與自己最親近的父母時，保持和悅的顏色也是最困難的。相較於侍奉父母、年長者飲食，內心自然流露愛心並展現為行為與神色相對困難，[27]可見有許多人即便與親近的父母相處時，也無法展現真情。更甚地，有些人不僅不能自然展現內心真實情感，還虛偽地表現出討好熱絡的神態。外在的行為、表情可能與內心的真實情感不一致，孔子批評這樣的人是「巧言令色，鮮矣仁」[28]。相較之下，「剛、毅、木、訥，近仁」，[29]外表樸實、謹慎言語則接近「仁」。

26 鄭志明：《中國殯葬禮儀學新論》，頁93。

27 《論語》〈為政〉〈2．8〉：「子夏問孝。子曰：『色難。有事，弟子服其勞；有酒食，先生饌；曾是以為孝乎？』」

28 《論語》〈學而〉〈1．3〉、《論語》〈陽貨〉〈17．17〉

29 《論語》〈子路〉〈13．27〉

外顯的禮儀，是由一連串的外在儀式所構成，參與者於其間的一舉一動、每一個神情展現，都可能是誇大的、與內心情感不符合的，很可能形成孔子所批評的「巧言令色」[30]的情況，欠缺內心真誠的情感而徒具外在討好的儀態，這樣的人鮮少具有「仁」的品質。「人而不仁，如禮何？人而不仁，如樂何？」[31]不具「仁」品質的人，即使行為符合禮制，也是沒有用的。由此可知，若在行禮過程中不具內在真誠心意為基礎，只是展現出合禮討好的行為舉止，也是沒什麼用處的。

禮兼重內在情感基礎與表現情感的外在儀節，並且以情感基礎為根本。欠缺內在情感而虛偽造作的行為與儀式，是孔子所反對的。禮也不僅是由那些外在的器物、動作、儀節所構成的，子曰：「禮云禮云！玉帛云乎哉？樂云樂云！鐘鼓云乎哉？」[32]禮有其外在具體的儀節與器物層面，具體的儀節與器物可能流於造作勉強卻不具心意的外在形式，參與者可能僅是為了配合禮節而行禮卻不具內在情感品質。孔子曾經批評這類不具內在情感品質的行為：「居上不寬，為禮不敬，臨喪不哀，吾何以觀之哉？」[33]凡為禮，必心存誠敬，而後其容始有可觀。[34]行禮不恭敬、參與喪禮卻不哀傷，這種人沒有可觀之處。禮是外在的表達方式，用以表達人真誠的心意。然而，部分行禮者在行禮時，往往不具真誠的心意與情感，使禮只剩下空虛的形式。

孔子屢屢強調禮的重要性，不免要提出一些可能使人展現真誠情感與心意的正面例證，說服人們雖然現實中可能有許多人不具真情行禮，但在某一些狀況下，人還是會自然而然展現真誠心意、自發行

30 《論語》〈學而〉〈1・3〉、《論語》〈陽貨〉〈17・17〉

31 《論語》〈八佾〉〈3・3〉

32 《論語》〈陽貨〉〈17・11〉

33 《論語》〈八佾〉〈3・26〉

34 高明：〈孔子之禮論〉，收入李曰剛等著：《三禮研究論集》，頁17-18。

禮。提醒人們，即使現實中禮看似是強人所難的規範，但事實上卻有其內在情感根據。《論語》提示學習者，人們可以在某些特定事件中，充分展現內心的真誠情感，透過這樣的契機，人人都有可能實踐理想的禮。

孔子重視禮，其中論凶禮以喪禮為主，[35]孔子強調喪禮以哀戚之情為根本，並且喪禮特別重視真誠心意。孔子對喪禮的重視，無非是由於喪禮是一般人可能充分展現真實情感的少數關鍵事件，一般人面臨親友亡故時，相對地較容易直接地顯示內心的哀戚傷痛。死亡往往最能撼動人的情感，特別是與自己最親近的父母死亡時，人難掩思慕之情，易使平日難以暢發的真情流洩於外，於父母喪最能見到人情之實。[36]〈子張〉中曾子曰：「吾聞諸夫子：『人未有自致者也，必也親喪乎！』」[37]「致」就是做到盡人情之極，充分展現情感而不能自已。[38]

人在面對其他事件時，經常不能充分展現人情，但是在面臨親喪時，則難掩內心哀痛的真實情感。在父母生前，子女侍奉父母時，很少能夠充分展現情感與心意，但父母的「死亡」卻是導致子女對「孝」的自覺的最大契機。[39]

喪禮藉由過程中的種種儀節，協助人們充分抒發與調適內心的哀情與真誠心意，達到禮儀所追求的外在形式與內在情感的兼具調和之

35 「孔子論凶禮，以喪禮為主。論語子張載：「曾子曰：『吾聞諸夫子：人未有自致者也，必也親喪乎！』」致者，盡其極也。唯遭親喪，則人之真情有所不能自已，此孔夫子所以特重喪禮歟。」（見高明：〈孔子之禮論〉，頁20-21。）

36 《禮記》〈問喪〉：「成壙而歸，不敢入處室，居於倚廬，哀親之在外也。寢苫枕塊，哀親之在土也。故哭泣無時，服勤三年，思慕之心，孝子之志也，人情之實也。」（《禮記正義（十三經注疏）》，頁1791-1792。）

37 《論語》〈子張〉〈19．17〉

38 尹焞：「致，盡其極也。蓋人之真情所不能自已者。」（見《四書章句集注》，頁267。）

39 加地伸行：《儒教とは何か》（東京：中央公論新社，1990年），頁63。

理想，喪禮可以說是《論語》用以展現禮的形式與情感合一，以及禮的本末兼具的一種典範。因此，孔子屢屢論及父母喪，並且對於居喪子女的內在情感品質相當重視，這無非是由於父母喪是觸發情感展現的關鍵，在這個關鍵事件中，為人子女者應謹慎檢視自己是否充分顯示內心情感。喪禮在人喪失至親、真切哀情流露不能自已時，透過各種儀式協助人們適當展現情感而不致傷身，達到安頓生者身、心之效。

人鮮少能充分顯露真實情感，父母亡故、喪禮是一般人真情流露的契機，親喪可以說是使人真誠地充分顯露情感的關鍵事件。喪禮是人能夠面對自己真實情感的時機，在喪禮這樣的關鍵時機中卻不顯得哀傷的人，孔子認為是不可取的。孔子認為對於喪事應該盡力而為，並且以參與喪事是否盡力為自我檢視的標準，故子曰：「出則事公卿，入則事父兄，喪事不敢不勉，不為酒困，何有於我哉！」[40]在親友亡故的關鍵時刻，以充分展現真情為根本，配合儀式的善意節制安頓身心，勉力行喪，乃是孔子重要的自我要求之一。

第四節　三年之喪與生者安頓

除了注意喪禮作為喪禮的表露與宣泄場合外，更應重視喪禮可以作為作為誘發、促成真誠情感展現的契機。特別是面對哀戚至深的父母喪禮，不盡力、未能充分展現真誠心意，甚至還企圖縮減禮儀者，是孔子嚴重批判的對象。《論語》〈陽貨〉曾記載孔子與宰我對於父母喪（三年之喪）的討論，其中宰我欲減短為父母服喪的時間，受到孔子嚴厲的指責。本節首先探討《論語》對三年之喪的根源轉化，再討論服喪與社會生活的兩立，最後討論三年之喪的心理安頓。

---

40 《論語》〈子罕〉〈9．16〉

一　喪禮、喪服制度的根源問題

喪禮中除對於死者的安頓以外，同時也相應地具有安頓生者的功能。《論語》中出現對於生者的心理安頓，最重要的出現在〈陽貨〉篇孔子與宰我談論三年之喪的篇章中。子女內心抱持真誠的情感，並且透過放棄日常生活轉而實踐禮儀規範，使自己得以安心。

《儀禮》、《禮記》所述的喪禮中，親友對死者的思慕之情並不因死者入土而旋即結束，喪期並不隨著死者入壙後便立即告終。死者下葬後，死者親屬仍會依據與死者之間的親疏遠近而定，為死者進行長短不一的服喪活動。於服喪期間，服喪者穿著與平素不同的服飾，用以顯示哀情，即「哀之發於衣服者也」[41]，服喪者所穿著的服飾也因親疏遠近有所不同，「加服」之極致，當以為父服斬衰之服為最重。

依據不同的親疏遠近關係，除以不同喪服作為區別，亦配合不同喪期。[42]父母之喪，悲傷哀痛最為深重，為期一年的「期」仍不足以表示，於是以最重的「三年之喪」配合。參考《禮記》〈三年問〉、《荀子》〈禮論〉、《公羊》〈閔公二年傳〉[43]，皆以「三年之喪」實為

41 《禮記》〈問傳〉(《禮記正義（十三經注疏)》，頁1808。)

42 據周何的考察，降等的計算方式就是減半，一年之喪謂之「期」，半年的稱為「功」。「功」之中分出一部分比較疏遠的親屬關係，歸之於再減半的「緦麻」，喪期三個月，是為最低的等級。然而已經分出一部分的「功」服裡，仍涵容著過多而親疏不等的親屬，於是再將「功」分為「大功」和「小功」等。「大功」喪期九個月，「小功」原則上仍是六個月。於是由「期」以下喪期劃分為：「期」喪一年，「大功」九個月，「小功」六個月，「緦麻」三個月。這四等的劃分差距各為三個月，正好與一年四季，每季三個月的等分相合。(見周何：《古禮今談》，頁142-143。)

43 《禮記》〈三年問〉：「三年之喪，二十五月而畢，哀痛未盡，思慕未忘，然而服以是斷之者，豈不送死者有已、復生有節哉！」(《禮記正義（十三經注疏)》，頁1816。)

《荀子》〈禮論〉所記同《禮記》〈三年問〉。(見《荀子集解》，頁372。)

《公羊》〈閔公二年傳〉：「夏，五月乙酉，吉禘于莊公。其言吉何？言吉者，未可以吉也。曷為未可以吉？未三年也。三年矣，曷為謂之未三年？三年之喪，實以二十五月。其言于莊公何？未可以稱宮廟也。曷為未可以稱宮廟？在三年之中矣。吉

二十五個月，而非三年整。

喪服制度的演進過程，早期應是始於單純素樸的對父母的思慕之情所促成的「心喪」，也因為情感強度因人而異，又尚未有喪期、喪服的制定，所以「喪期無數」[44]，服喪期間或長或短沒有一定，甚至可能有子女為父母服喪終身不變。[45]參考林素英對於喪服演進的研究，林素英認為：

> 賈公彥為《儀禮》作疏，將我國喪服演進的過程分為三期：黃帝之時，朴略尚質，行心喪之禮；唐虞之日，淳朴漸虧，雖行心喪，更以三年為限；三王以降，澆為漸起，故制喪服以表哀情。賈氏所提出的三大演進階段，不但能與人類生活的演進歷程互相呼應，並且可從文獻資料中獲得相關的佐證，同時賈氏之說還透露出一項重要的訊息——較具規模的喪服制度，最早不可能早於西周……賈氏認為黃帝時期乃是人類接續伏義時期

禘于莊公，何以書？譏。何譏爾？譏始不三年也。」〔漢〕公羊壽傳；〔漢〕何休解詁；〔唐〕徐彥疏；浦衛忠整理；楊向奎審定：《春秋公羊傳注疏（十三經注疏）》（北京市：北京大學出版社，2000年），頁225-227。

44 《周易》〈繫辭傳下〉，見〔宋〕朱熹：《周易本義》（臺北市：大安出版社，1999年），頁254。

45 林素英：《喪服制度的文化意義：以《儀禮》〈喪服〉為討論中心》，頁48-49。林氏另外還指出：「由於喪必有服，因此喪服必定伴隨著喪禮的進行而存在，並且從原始的以欺騙鬼魂為取向的作用，逐漸進入符應生者內在至痛情感之表徵。這種源自親者內發的至痛哀情，形諸於外的則為無心打扮、懶於修飾的共同傾向，而且由於喪禮具有整合群體的功能，可以將原來屬於個人的死亡事件，透過儀式的作用而達到凝聚死者家族情感的功能，因而這種表彰哀情的特殊服飾，也有建立共識而趨於制度化的需求，於是有所謂喪服制度的醞釀與逐漸成熟的改變。」（同書，頁68）喪服制度始於一種純樸質素的心喪之禮，可能是漫長而終其身不變的「喪期無數」。至於唐虞之世，樸質風氣的逐漸虧損，心喪之禮雖然持續被保存，但卻漸漸趨向「有期」，轉而以象徵性的「三年」為喪期限制。較為完整的喪禮、喪期制度確立後，因為喪禮具有凝聚生者的作用，原來欠缺應對喪禮的固定的喪服服制，為了建立參與喪禮的家族間之共識，遂需要訂定有系統、制度的服制。

> 茹毛飲血、穴居野處的原始社會生活而來，待聖人起，而漸有熟食、宮室、衣帛之利，由於此時的民風仍然樸質簡單，因此養生送死以事鬼神的方式還相當原始素樸，因而對於親人之喪逕行心喪之禮，且終其身而不變；此正可以突顯《易》之所為：『古之喪者，厚衣之以薪，喪之中野，不封不樹，喪期無數。』之生活特色。由於長期浸潤在這種朴質民風的氛圍中，因而相應產生最原始、最純真的心喪之禮，同時由於這種出乎自然之情，所以也無一定之喪期。之後，到達唐虞時代，由於人類生活的範圍擴大，彼此接觸、感染的機會增加，相對的，樸質之風即逐漸虧損，因此雖然仍有相喪之禮，不過卻受制於外界紛然雜陳的誘因，於是傾向以象徵長時間的三年為服喪期限。[46]

喪服制度的演進經過一段相當漫長的時間才逐漸確立。由上古沒有固定期限的「心喪」，至唐虞時代更以三年為期，至三王以降制喪服以具體可見的服制象徵表現服喪者內心的哀情。然而以上對於古代喪服制度演進過程的敘述，對於其起源的根本心理因素之說明仍然不夠詳細。對於初民喪禮、喪服起源的探究，可以參考人類學更深入的研究。

人類學對於原始喪禮起源的研究指出，初民的喪葬禮俗起於「恐懼」的心理，喪服則出於「服喪者的禁忌（Taboo）狀態」，喪服的典型正好與平常的服飾成為鮮明的對照，而其所以如此的原因乃是為了代表防護某種災禍發生的禁忌狀態，這正是基於恐懼鬼魂降禍的心理的一種迷信行為，正可以作為喪服起於祖先崇拜的適時憑證。[47]於

46 同前註，頁48-49。

47 詳見章景明：《先秦喪服制度考》（臺北市：臺灣中華書局，1971年），頁2-3。加藤常賢曾對於taboo（或作tabu）與儀禮的關係進行說明：「神聖觀念（即tabu）有兩個方面，為了『淨』而進行的隔離與禁止，以及為了『不淨』而進行的隔離與禁止。

《禮記》〈祭義〉等篇章中亦可見先秦仍保有畏服祖先鬼神的心理，何以至鄭玄、賈公彥之時，禮家傾向以「心喪」解釋喪服起源，有以「飾，情之章表」[48]解釋喪服呢？竊以為喪服制度根源的轉化當與《論語》中對於「三年之喪」的討論有相當大的關係，孔子對於喪禮、喪服制度的見解對後世儒者產生絕大的影響。《論語》、《禮記》中對喪禮、喪服的討論，都將其奠基於服喪者的「三年之愛」的情感基礎之上。

儒家推崇的喪服制度的起始根基於子女愛親的情感，而情感透過具體外顯的動作、行為、聲音得以展現。孔子的禮重視內在的情感與外在的禮儀儀節相輔相成，情感是禮的根本，禮用以展現情感。章景明先生認為：「孔子的禮是注重情感，道德的本質的。」春秋戰國時代變動劇烈，社會秩序、倫理道德逐漸崩壞，章景明認為著重真誠情感、出乎真情流露的喪服禮俗是孔子改革社會之憑藉，情感是道德的根本，抽象的道德還需要有具體的事物為憑藉，章景明說：

> 以儒家積極用世的人生觀，當然希望能夠改革社會，作為一番。而改革的方法，最重要的乃在樹立倫理道德觀念。可是，道德只是個抽象的觀念，如果要想把他見諸實施，必須有一種具體的事物作為依附，然後才能樹立一個有秩序的社會……孔

『淨』與『不淨』的性質是相對的，兩極端的。日常生活從『淨』的角度來觀看則是『不淨』的，從『不淨』的角度來觀看，則是『淨』的。『淨』是神，『不淨』是死，兩者皆是神聖的，而日常生活就是兩者的中線……古代人不認為人死就一了百了，『魂』登於天，如果他的名受到呼喚就會再度出現，這也便是『諱』的起源，『諱』就是tabu……儀禮的發生是因為與神聖相關而起，其範圍遠比今日寬廣，並被視為是神聖的。」（加藤常賢：《中國古代倫理學の發達》，頁30-31。）加藤常賢認為當人所面對的對象是神聖而不能說明的時候，若輕率地與之接觸，就會被認為具有危險，即會對人的生命造成損害。古代社會中，儀禮是為了保護人類的生命安全的迴避危險的方法。

48 鄭玄語：《禮記正義（十三經注疏）》，頁1816。

> 子時代的喪服禮俗，雖然未必有儀禮喪服篇所載的細密完整的制度，可是從他極力的提倡三年之喪，把他說成「天下之通喪也」，並且率領弟子們努力實行鼓吹。由此看來，孔子之時，儒家便以喪服的禮俗，作為改革社會的憑藉了。[49]

父母的喪禮是人難得僅有的表現真情的機會，至親亡故的哀傷在喪禮中藉由喪服制度表現在外，透過具體的服儀、儀節將內心的情感展現於外。

春秋之世，僭禮、違禮的行為屢見不鮮，不具有內在真誠情感的禮儀活動也越來越多，喪禮、喪服制度的根源也不再受到世人普遍的認識。亦因為時空條件、社會生活環境的變遷而有所改變，有部分禮儀的適用性受到質疑。《論語》〈陽貨〉中便記載孔子弟子宰我曾對三年之喪提出質疑，孔子對於宰我的回答可以窺見孔子哲學思想的核心結構。

二　服喪與社會生活的兩立

「三年之喪」一詞在《論語》中僅出現一次，可見於《論語》〈陽貨〉中孔子與宰我對於三年之喪的談論：

> 宰我問：「三年之喪，期已久矣。君子三年不為禮，禮必壞；三年不為樂，樂必崩。舊穀既沒，新穀既升，鑽燧改火，期可已矣。」子曰：「食夫稻，衣夫錦，於女安乎？」曰：「安。」「女安則為之！夫君子之居喪，食旨不甘，聞樂不樂，居處不安，故不為也。今女安，則為之！」宰我出。子曰：「予之不

---

49 章景明：《先秦喪服制度考》，頁21-22。

仁也！子生三年，然後免於父母之懷。夫三年之喪，天下之通喪也。予也有三年之愛於其父母乎？」[50]

首先，宰我對於「三年之喪」提出質疑，認為三年之喪會造成禮制損壞「君子三年不為禮，禮必壞；三年不為樂，樂必崩」。宰我提及「禮壞樂崩」的問題，筆者以為這乃是行為者個人無法把握的問題，並非三年之喪直接導致禮壞樂崩，關係到個人差異。《禮記》〈檀弓上〉:「孟獻子禫，縣而不樂，比御而不入。夫子曰：『獻子加於人一等矣。』孔子既祥，五日彈琴而不成聲，十日而成笙歌。有子蓋既祥而絲屨、組纓。」[51]由親人死亡後的哭踊無數，到只有晨昏兩次的朝夕哭，再到既葬而虞，虞而卒哭，可以充分地透露出「禮」的制作，原是順應人情的自然需求，而更加上為顧全整體社會的安危榮枯，所做最適當的規劃。[52]服喪者因個別情感強弱有異，服喪期間至喪畢的恢復情況不一，例如孟獻子到了禫祭除服後也只將樂器掛起來卻不演奏；孔子則在祥祭後五日開始彈琴，但不成調，十日後吹笙就吹得很和諧了；有子在大祥畢後就穿絲鞋、戴絲組為纓的帽子。

三年之喪的目的是在於使子女無限的哀情可以在固定的期間內舒展，在一定的期間內抒發哀情，並且學會適度地調節情緒，最終於喪期結束後可以順利回歸日常生活，而不至於因為親喪而一絕不振，喪禮實質上的目的是避免因哀情以致禮樂等社會功能崩解。宰我質疑三年之喪可能導致禮壞樂崩，但禮儀的設計卻是試圖協助服喪者遠離喪親的傷痛，重新回到社會生活，不因哀情而一蹶不振，用長期漸進的方式協助安頓生者的哀痛。

---

50 《論語》〈陽貨〉〈17．21〉

51 《禮記》〈檀弓上〉，見《禮記今註今譯》，頁100-101。

52 周何：《古禮今談》，頁173。

另外，墨家主張節葬，並且對於儒家的三年之喪大加抨擊。[53]然而，事實上《禮記》中已經針對親喪進行說明，雖然哀痛但也有所節度，並且以不傷害生者為原則。參照《禮記》〈喪服四制〉：

> 三日而食，三月而沐，期而練，毀不滅性，不以死傷生也。喪不過三年，苴衰不補，墳墓不培。祥之日鼓素琴，告民有終也，以節制者也。……或曰擔主，或曰輔病。婦人童子不杖，不能病也。百官備，百物具，不言而事行者，扶而起。言而后事行者，杖而起。身自執事而后行者，面垢而已。禿者不髽，傴者不袒，跛者不踴，老病不止酒肉。凡此八者，以權制者也。……始死，三日不怠，三月不解，期悲哀，三年憂，恩之殺也。聖人因殺以制節，此喪之所以三年，賢者不得過，不肖者不得不及，此喪之中庸也，王者之所常行也。[54]

三年之喪期間絕非豪奢無度，也不是苛刻限制，反而中庸適切，並且以不傷害身體為原則。服喪者以中庸之道行三年之喪，必須注重節制與權衡，《禮記》〈喪服四制〉：「凡禮之大禮，體天地，法四時，則陰陽，順人情……有恩有理，有節有權，取之人情也。」[55]禮的設計原理本於自然規律，順應人情所需，因實際情況而有所調節權衡。《禮記》所記載的三年之喪就提出對於防止不當的限制及浪費的設想，遵

---

53 《墨子》〈節葬下〉：「其說又不可矣。今唯無以厚葬久喪者為政，君死，喪之三年；父母死，喪之三年；妻與後子死者，五皆喪之三年；然後伯父叔父兄弟孽子其；族人五月；姑姊甥舅皆有月數。則毀瘠必有制矣，使面目陷陬，顏色黧黑，耳目不聰明，手足不勁強，不可用也。又曰上士操喪也，必扶而能起，杖而能行，以此共三年。」見〔清〕孫詒讓著，孫以楷點校：《墨子閒詁》（臺北市：華正書局，1987年），卷六，頁158-161。

54 《禮記正義（十三經注疏）》，頁1953-1956。

55 《禮記正義（十三經注疏）》，頁1951-1952。

循正確的三年之喪仍可以延續社會與生活。

由此可知，儒家所主張的三年之喪，終極關懷除了妥善為父母料理後事以外，對於服喪子女、親屬的身心安頓亦在首要關心之列。三年之喪除了讓服喪者有公開的儀式表露積累於內心的哀情以外，也為哀情的宣洩設定限制。禮之於人，不僅具有指導之作用，並且具有節制之作用。指導之作用，在使人之行為積極的合乎規範。節制之作用，在使人之行為消極的不越乎規範。[56]教導服喪者在服喪期間不壓抑內心情感，而學習依禮展現情感收放，不因哀毀傷生；並且讓服喪者學習當三年之喪結束後就應該收起心中的哀戚，在時間的流逝中學會適當的排解哀傷，以為回歸社會生活做準備。

三　三年之喪的心理安頓

前文藉由《禮記》對服喪期間的記載，由禮的外部效果對於三年之喪與社會生活的兩立進行探討。緊接著筆者欲返回《論語》中孔子對於三年之喪的心理根源所提出的說法進行討論。

孔子針對宰我對三年之喪的質疑提出回應，子曰：「食夫稻，衣夫錦，於女安乎？」[57]稻、錦皆為珍貴資源，宰我認為在喪葬無暇從事產業活動期間使用貴重資源也可安心。於此，孔子把外在喪禮作為規範的問題轉向，聯繫心理層面，孔子提示倫理規範是順乎心理情感要求而設。如前文所論，〈子張〉曾子曰：「吾聞諸夫子：人未有自致者也，必也親喪乎！」[58]人鮮能充分顯露真實情感，父母亡故、喪禮是一般人真情流露的契機，親喪可以說是使人真誠地充分顯露情感的關鍵事件。喪是人能夠面對自己真實情感少有的時機，孔子認為對於

56 高明：〈孔子之禮論〉，頁15。

57 《論語》〈陽貨〉〈17．21〉

58 《論語》〈子張〉〈19．17〉

喪事應該盡力而為，故子曰：「出則事公卿，入則事父兄，喪事不敢不勉，不為酒困，何有於我哉！」[59]於喪祭這樣的時機中卻不顯得哀傷的人，孔子認為是不可取的。[60]面對親友亡故，《論語》強調喪以哀情為主，「祭思敬，喪思哀，其可已矣。」[61]、「居上不寬，為禮不敬，臨喪不哀，吾何以觀之哉？」[62]、「喪致乎哀而止。」[63]，《論語》認為面對親友亡故，哀情的流露是真實情感的展現。在父母喪期中，人難得展現真情，真誠面對內心情感不能自已。由於內心劇烈的哀傷，無心修飾儀容，吃美食也覺得乏味，聽見音樂演奏也不覺快樂，住在家中也不感舒適。物質生活的享受不僅不能帶來愉悅的情緒，反而會引發內心的強烈「不安」，使服喪者自覺地避免物質生活的逸樂，孔子認為這才是人性的正常表現。面對真誠展現出的情感以後就會發覺自己內心有著「安」與「不安」兩種情緒相互激盪，感到「安」與「不安」就是對於內心要求的「自覺」。

宰我放棄了人心的特殊情感表現，[64]忽略了人有情感層面的需

59　《論語》〈子罕〉〈9．16〉

60　《論語》〈八佾〉子曰：「居上不寬，為禮不敬，臨喪不哀，吾何以觀之哉？」

61　《論語》〈子張〉〈19．1〉

62　《論語》〈八佾〉〈3．26〉

63　《論語》〈子張〉〈19．14〉

64　成中英認為儒家基本上區分兩種情緒，一個是道德的感情，一個是生活的感情。道德情感是指社會道德，是人倫關係的基礎。惻隱之心、仁愛之心、不忍心、不安屬之，皆發自人的本性，是自然情感，形成一種社會的道德基礎，這種認識把它變成一種自覺的要求，就變成一種德行。德就是自覺的要求，變成一種規範或規律就是社會道德。而生活情感則如悲傷、憤怒，這種發自內心的感覺和生活上的遭遇所造成的感情，儒家講求「發而皆中節」，一方面發出自己的感情，另一方面又合乎人類一般可以接受的表達方式，須找到一個好的形式和方法來進行表達，做到「無過而無不及」。（詳見〔美〕成中英：《美的深處——本體美學》，杭州市：浙江大學出版社，2011年，頁108-109。）前文所述的「哀」、「戚」情感屬於「生活的感情」，生活的感情需要禮儀規範加以節制，以免造成哀毀傷生的情況。但是「安」、「不安」屬於「道德的感情」則需要真誠面對，並且使之發揮，變成一種自覺的要求，作為促成行為的動力。

求，食稻衣錦也以為安心，甚至認為「鑽燧改火，期可已矣」。孔子以食稻衣錦「安」或「不安」質問宰我，點出人的特別之處便是在於心理情感要求，人會在安與不安之間掙扎。父母亡故使得情感有顯露的機會。當人真誠面對自身的情感時，就會自然地產生對於內心情感要求的自覺，也就是在喪期中享受逸樂所帶來的「不安」的情緒。物質生活的享受非但不能帶給服喪者身體的享受，反而引致心理的不安，不安就是心對於行為的不滿，可見《論語》認為生理與心理兩者是相互緊密關聯、不可割離的結構。

因為不安的情感尋求紓解，人的內心會湧現拒絕逸樂、構成主動實踐倫理規範的動力，生理、心理、倫理的關鍵皆在於心。參見《禮記》〈檀弓上〉:「子路曰：吾聞諸夫子：『喪禮，與其哀不足而禮有餘，不若禮不足而哀有餘也。』」[65]喪禮的核心並非外在的繁文縟節，而是在於內心真誠的情感。孔子以安或不安點出人的特質，提示宰我由真誠面對內心「安」與「不安」的感受來選擇行為，並以「三年之愛」捍衛三年之喪，突顯了孔子對於人的內心情感之重視。孔子斥責宰我沒有真誠的情感是謂「不仁」。[66]「子生三年，然後免於父母之懷」，人由於身體依賴而發展成為心理的依賴，進而互相關懷，而人最原初與自然的情感便是親子間的「愛」，即親親之情。[67]

由《論語》中環繞「安」與「不安」的三年之喪討論來看，三年之喪的禮儀實踐並不是一種壓抑自我情感需求的，而是隨順自己的內心情感要求，自發地、由自己內心需求自發地產生實踐禮儀動力的情況。三年之喪展現的是人因為父母對於自己的照護與相處，產生親子之間的強烈關係性，由身體照護與相處產生出對於父母的愛心。父母

65 《禮記正義（十三經注疏）》，頁250。

66 後文將詳述三年之喪與「仁」的關係。

67 《中庸》〈第二十章〉:「仁者人也，親親為大；義者宜也，尊賢為大；親親之殺，尊賢之等，禮所生也。」(《四書章句集注》，頁37。)

死亡時，子女本乎愛親之情與哀戚之情為父母服喪，如果不為父母服喪或者在喪期間享受逸樂，心理情感得不到適當的安頓，心中就會湧現一股「不安」的情感要求子女自身放棄享樂，惟有離開豐裕的物質生活，妥善為父母善理後事，不安的情感才能獲得紓解。這股「不安」的真實情感就使人自覺有一股內在的動力，時時刻刻地督促子女必須放棄享樂。內在動力配合禮儀的指導合宜地展現哀情，被《論語》作為實踐三年之喪的倫理規範之起點。《論語》中所見的三年之喪一方面觸及對生者內心不安情感的安頓，另一方面又由此向上發展連結「仁」概念。

三年之喪展現出人因為接受父母對自己的身體照護，由於身體的依賴關係，親子之間不再是兩個不相關的「他人」。親子的朝夕相處與照護之際，父母對於子女貫注「愛」的情感，子女也逐漸產生與父母之間的情感網絡。在父母死後，由於這種情感依賴，觸發子女內心的真誠情感，如果在喪期間計較利害、享受物質生活、不能盡力為父母料理後事，子女內心就會不安。只要真誠面對自己內心的情感要求，即會發現自己內心有「安」與「不安」的兩種情緒督促自己對於行為進行選擇，孔子認為君子只有真誠面對內心情感，選擇將之展現為外顯行為，避免計較物質享受，才能安頓消弭內心不安的感受。

父母去世時，由於父母對子女的身體照顧所生親子之愛導致子女無限傷痛。喪失至親的哀痛，難免可能過度地節制或荒廢飲食起居，反應過度造成對生者傷害，所以有了「禮」的調節輔助，讓一切情感發於行動都可以適當得宜，使身心皆得妥當安置。[68]父母喪時面對自

68 人放棄逸樂並展現對父母之愛，真誠面對充分展現出的情感，所達到的實際效果是對於內心「不安」的安頓。但是一味依照生活的情感而行，往往造成迷惑與困擾，如《論語》〈顏淵〉〈12．10〉:「愛之欲其生，惡之欲其死；既欲其生，又欲其死，是惑也。」另一方面，由自然情感流露所產生的行為可能有所偏差，也可能因為過度強烈的情感導致身體危害等弊病，所以還需要藉由「禮樂」為標準自我節制，使自己的行為合禮。

我情感的「自致」，亦即充分地展現與面對自身情感後，「安」與「不安」的情緒就產生作用，不安的情緒展現了子女內心企求為父母善理後事的動力，有了禮制的出現後，不安的情緒亦成為一股實踐禮儀的內在動力。三年之喪的實踐是一種隨順情感需求的活動，是隨順人情的，不是一味克制或隱藏內心情感的禮儀實踐。計較物質利害，不能真誠面對內心要求、不能充分顯現哀戚情感，內心的情緒就不得安寧。甚至不能真誠面對並且忽視內心不安的感受還被批評為一種「不仁」[69]的行為。孔子透過對於實際嬰兒照護的情況觀察，得知情感的發展是建立於身體依賴關係之上的，而又將倫理規範與禮儀的實踐之內在基礎與動力建立於真誠面對情感的需求之上，可見孔子的哲學是不脫離生活的，並且是建立在觀察與經驗上的。[70]三年之喪所論的內容一面關乎生者的情感安頓，一面又關乎「仁」，可說是喪禮對生者的安頓功能與教化功能二面的轉承關鍵。本節著重三年之喪的心理安頓問題進行討論，並就三年之喪的生理、心理、倫理三者的關聯進行闡釋，有關三年之喪與「仁」的關聯待下章再詳細討論。

第五節　小結

由本章討論可知，喪禮具有對於生者身心兩面的安頓作用。喪禮本乎參與者內心的哀戚情感，但是哀戚之情過於強烈可能傷身，故喪禮透過各種禮儀規範的設計，使生者在喪禮中藉由身體的動作、哭踊等具體肢體活動，一方面展現出內心的無限哀傷，另一方面可以透過哭踊的活動安定情緒、平靜血氣，外在的各項活動、儀節具有撫平內心傷痛與調節身體狀況的功能。

---

69 後文將詳論《論語》中三年之喪與「仁」的關係。

70 傅佩榮：《論語之美》（長沙市：湖南文藝出版社，2012年），頁214。

禮儀兼重行禮者內心情感基礎與外在儀式合宜，並且以內心情感為根本。但是現實情況中禮經常是徒具形式，而欠缺行禮者的內心情感與心意。人的真實情感與心意能夠充分展現的時機不多，僅在少數重大事件中才能充分展現，《論語》記載父母喪是人充分展現情感的契機，喪禮因此成為眾多禮儀中，一般人鮮少能夠做到發於中形於外、兼具內心真誠情感與外在儀式實踐的禮，故父母喪在《論語》中扮演行禮內外充實的重要關鍵契機。

《論語》與父母喪相關聯的重要儀式「三年之喪」特別重要，不僅因為父母喪是充分展現情感的關鍵事件，還涉及對生者心理安頓的問題。服喪者因為喪親至痛，無心打理儀容，依禮服三年之喪，在漫長的過程中度過簡素的物質生活。如果不依照禮儀，甚至享受逸樂，孔子認為服喪者就會油然而生一股不安的情緒，要求自己放棄逸樂。君子居喪期間享用美好物質生活也不覺得快樂，生活享受所帶來的是不安的情感，為求心理的安頓所以不願意享受逸樂。三年之喪中所討論的不安貫串生理、心理、倫理三個層面，由於子女年幼受到父母身體照護，所以產生情感牽繫，這份情感又引致父母喪期間享受逸樂時的「不安」。為了安頓消弭心中不安，真誠面對不安的情緒，成為子女放棄逸樂、選擇依照倫理規範，形成父母服喪的內在動力。

本章釐清《論語》中所記載的關於喪禮對於生者的生理、心理的安頓功能，喪禮以身體活動紓解身心，對於哀戚之情採取善意的節制，而對於子女內心「不安」的情感則要真誠面對，並由之形成實踐禮儀規範的動力。本章對於三年之喪的討論尚未完全，其他關於喪禮的教化功能、三年之喪與「仁」的關聯等問題，留待下一章再詳細討論。

第三章
喪禮對生者的教化功能

本章探究喪禮作為觸發真實情感充分展現的外在關鍵事件，引發內在真實情感的湧現，促使人產生實踐禮及倫理規範的動力，成為「行仁」的開端。最後說明喪禮除了因應內在情感、又兼具外在啟牖功能，逐步剖析由生者的身心安頓所構築的情感理論如何促成喪禮教化功能。

第一節　倫理規範的普遍性建構

根據《左傳》的記載，春秋時代已有「夫禮，天之經也」（昭公二十五年）[1]、「禮以順天，天之道也」（文公十五年）[2]這樣的說法存在，甚至將禮視為「人之幹」（昭公七年）[3]、「死生存亡之體」（定公十五年）[4]，並直言禮的功能在於「所以整民也」（莊公二十三年）[5]。於春秋時代，「禮」的效果統攝所有人倫道德，孔子更以「禮」為「仁」的工夫之所本，[6]「禮」在春秋時代備受強調，但是「禮壞樂崩」的局勢還是無可否認的史實。[7]

---

1 楊伯峻：《春秋左傳注》（下冊），頁1457。

2 楊伯峻：《春秋左傳注》（上冊），頁614。

3 楊伯峻：《春秋左傳注》（下冊），頁1295。

4 楊伯峻：《春秋左傳注》（下冊），頁1601。

5 楊伯峻：《春秋左傳注》（上冊），頁226。

6 詳見徐復觀：《中國人性論史・先秦篇》（臺北市：臺灣商務印書館，1969年），頁48-49。

7 傅佩榮：《儒道天論發微》，頁96。

在禮壞樂崩的環境中，有時遵守禮制的規定，卻可能被人懷疑有諂媚之嫌。[8]除了時人違禮的行為以外，春秋時代的社會實況中，為了合乎「與其奢，寧儉」[9]的原則，禮不免有所損益，例如《論語》記載「麻冕，禮也；今也純，儉。吾從眾。」[10]器物層面為求節省，可以有所改變。權衡社會經濟環境，禮的實際內容略有改易，也因為如此，當世對於固有禮儀的質疑也逐漸出現。宰我對於「三年之喪」所提出的質疑在於他認為在漫長的服喪期間中，服喪者無法如往日一般進行農業生產與實行禮樂，將會導致禮樂荒廢，故主張以穀與火的使用周期一年為限即可。宰我的質疑看似顧及人文世界與自然世界雙方條件，但卻未能顧及人心的情感需要。[11]

宰我對於三年之喪的質疑，一來可能是因為疑其可能導致禮壞樂崩，二來可能是由於宰我對於三年之喪施行意義之不理解。然而事實上喪禮與喪服制度的演進過程漫長，禮儀文獻資料又不夠齊全，[12]其根源實非當世可以輕易追溯。由於三年之喪的意義不被理解，或一般人基於社會經濟考量而不接受漫長喪期，所以孔子才重新為三年之喪進行解釋。因為孔子對三年之喪的根源提供創見，又墨家有短喪之說，古今學者難免質疑三年之喪是孔子創制，如梁漱溟舉內外兩面的證明支持三年之喪是「托古而偽為古之制度也」；[13]胡適亦認為三年之喪是儒家所創，並非古禮。[14]

雖然除孔子與宰我論三年之喪一篇外，《論語》〈憲問〉亦記載：

---

8 《論語》〈八佾〉〈3．18〉：「子曰：『事君盡禮，人以為諂也。』」

9 《論語》〈八佾〉〈3．4〉

10 《論語》〈子罕〉〈9．3〉

11 傅佩榮：《傅佩榮解讀論語》，頁456。

12 《論語》〈八佾〉〈3．9〉：「子曰：『夏禮，吾能言之，杞不足徵也；殷禮，吾能言之，宋不足徵也。文獻不足故也，足則吾能徵之矣。』」

13 李淵庭、閻秉華整理：《梁漱溟先生講孔孟》，頁11。

14 胡適：《中國哲學史大綱——古代哲學史》，頁139。

子張曰：「《書》云：『高宗諒陰，三年不言。』何謂也？」子曰：「何必高宗，古之人皆然。君薨，百官總己以聽於冢宰，三年。」[15]

白川靜對上引「高宗諒陰，三年不言」一段更提出質疑，與本段相似的記載可以見於《尚書》〈兌命上〉：「王宅憂，亮陰三祀。既免喪，其惟弗言，群臣咸諫于王曰：『嗚呼！知之曰明哲，明哲實作則。天子惟君萬邦，百官承式，王言惟作命，不言臣下罔攸稟令。』」白川氏認為不僅所據的《尚書》〈兌命上〉是偽書，而且《論語》更是誤解了原文。[16]

然而據當代學者的考據，三年之喪有其文獻根據。章景明將關於三年之喪的來源問題之說分為三類：一是主其為「堯舜之制」，清人曹元弼禮經學主之；二為以三年之喪是「周公之法」，此說朱子主之；三是傅孟真、胡適所主張的「殷之儀禮，而非周之制度」。章氏認為這三說皆難饜人意，認為孔達生以三年之喪為「東夷之俗」說最合於事實，並以《左傳》〈襄公十七年〉晏嬰為其父服喪之事佐證。[17]孔達生認為孔子把三年之喪說為「天下之通喪」用意是在於鼓吹仁親

15 《論語》〈憲問〉〈14・40〉

16 白川氏更說明殷墟出土的甲骨文中，有關於對武丁的言語疾病、舌耳疾病進行占卜的記錄，推斷武丁實際上患有言語障礙，關於武丁的失語現象被記載於《尚書》〈無逸〉：「其在高宗，時舊勞于外，爰暨小人。作其即位，乃或亮陰，三年不言。其惟不言，言乃雍。」白川氏據甲骨文獻，認為《論語》「高宗諒陰，三年不言」一段服喪說其實只是對於《尚書》所載武丁的「言語障礙」之誤解。詳見白川靜：《孔子伝》，頁76、100-101。

17 《左傳》〈襄公十七年〉：「齊晏桓子卒，晏嬰麤縗斬，苴絰帶，杖，菅屨，食鬻，居倚廬，寢苫，枕草，其老曰：『非大夫之禮也』，曰：『唯卿為大夫。』」（楊伯峻：《春秋左傳注》（下冊），頁1033-1034。）

的思想，因而提出的宣傳口號。[18]孔達生雖以三年之喪為「宣傳口號」，但其說法並不妨礙三年之喪是固有禮儀而非孔子創制的說法。

孔子承襲古禮，[19]將三年之喪說為「天下之通喪」，並且以人普遍具有的情感、心理需求為三年之喪提供了普遍性。孔子認為在真誠表現情感的前提之下，只要是正常人性的表現，皆會產生「安」與「不安」的反應，以此為據，為三年之喪提供了普遍的基礎。然而此普遍基礎卻異於喪禮在人類學上的產生根源，應是孔子為使禮存續所賦予的新解，加藤常賢認為：

> 胡適說「三年喪」是聖人做的，是由於他不知道原始宗教。孔子時已經存在那樣嚴重的時代錯誤問題，孔子試圖賦予三年之喪以對父母報恩的意義，試圖以倫理觀念賦予它意義。已經遠離了三年之喪的原始意義……這種新意義的賦予是孔子為了使禮存續所盡的努力。[20]

喪禮、喪服制度的演進過程漫長，孔子對三年之喪所提供的解釋並非喪禮的原始意義，反而是一種新意的賦予，目的是為了使禮壞樂崩環

---

18 詳見章景明：《先秦喪服制度考》，頁14-18。章太炎論儒墨之異時，亦舉晏嬰為父服喪一事佐證晏子係儒家而非墨家。（章太炎：《朱子學略說》，桂林市：廣西師範大學出版社，2010年，頁31。）可見當世雖有墨家主張短喪，但仍不乏喪親盡禮的例證，只憑墨家的質疑便要否定三年之喪曾被實踐，恐怕稍嫌薄弱。

19 如前文曾提及，《論語》中其他的對於古代「三年之喪」之記載，《論語》〈憲問〉〈14．40〉子張曰：「《書》云：『高宗諒陰，三年不言。』何謂也？」子曰：「何必高宗，古之人皆然。君薨，百官總己以聽於冢宰，三年。」可見《論語》中將「三年之喪」視為一種自古即有的古代禮儀。參見《中庸》：「父為大夫，子為士，葬以大夫，祭以士。父為士，子為大夫，葬以士，祭以大夫。期之喪，達乎大夫；三年之喪，達乎天子；父母之喪，無貴賤，一也。」（《四書章句集注》，頁34-35。）《中庸》亦承襲為父母服三年之喪為天下之通喪說。

20 加藤常賢：《中國古代倫理學の發達》，頁43。

境下的禮儀可以獲得普遍的基礎，在時空環境的變遷過程之中得以存續。但若斷然以此普遍基礎當作禮的原初來源，恐怕就是犯了「時代錯誤」：

> 宰我批判「禮」，對於宰我的批判，孔子為古禮增附新意。宰我問「三年喪」時，表明三年之喪缺乏社會妥當性，孔子在古禮上增加新的意義設法維持古禮。我認為「三年喪」是根基於tabu觀念的禮制，不認為三年喪是儒者自創的空論，也不認為其起源如孔子所論。若將孔子的論述當作是三年喪的起源，那便是將解釋看做起源的時代錯誤。「三年喪」是深刻的民族習慣。[21]

孔子對於三年之喪的基礎，以心的「安」與否為實踐禮儀規範的內在動力。將禮儀規範在物質世界、人文世界中可能遭遇的問題，轉向人的情感、心理需求層面探討，化解宰我所提出的質疑，並且賦予禮儀規範普遍性。由生理的愛護為起點，延伸至情感、心理需求，進而成為實踐禮與倫理規範的根據，不僅打破外在物質條件的限制，還使禮儀與倫理規範扎根於人人普遍皆有的心理需求上，給予禮儀與倫理規範具有普遍性的基礎。

孔子「述而不作，信而好古」[22]，孔子之所謂古，即是那些人文遺產，即當時社會一切人文現實，由於歷史演變而來者。而孔子之所求，則在這些現實人文中，來追求其本原與意義與價值。[23]孔子雖欲保存並追求古代的人文遺產，但難免因為實際社會的變遷，古禮逐漸亡失，禮的「本原與義與價值」恐怕便隨變遷而流失。禮一方面可以

---

21 加藤常賢：《中國古代倫理學の發達》，頁101。

22 《論語》〈八佾〉〈3・4〉

23 錢穆：《孔子與論語》（臺北市：聯經出版社，1974年），頁99。

有所「損益」，禮可能因應時代、社會情形而有所變化。另一方面當時諸國對於禮的知識恐怕已經不夠完備，孔子所處的魯國就有禮書不全的問題。如《左傳》曾載司鐸失火，子服景伯嚴令負責搶救禮書之事。再觀《禮記》〈檀弓〉，魯哀公因恤由之喪，命孺悲向孔子學士喪禮一事，又可知魯國禮書已殘闕不全矣。[24]在關於喪禮的詳細記載可能不夠完備的情況之下，禮制更容易遭受質疑。

宰我以外在的物質生活、社會經濟條件為由對三年之喪提出質疑，宰我欲改變禮制以符合生活所需，有其所執之道理。然而孔子卻將三年之喪的禮儀由「事」的層面提升至「理」的層面，物質生活條件恐因時代、地域環境有所不同，較難全面地解釋，孔子承襲固有三年之喪的禮儀，並且給它足以面對變遷的根據。孔子不由物質生活的問題反駁，而以更根本的、更普遍的內心情感當作喪禮的基礎，無非是由內給予喪禮一個更具普遍性的根基與行禮動力，形同確保了每一個人只要在正常人性的表現之下，都可以達成倫理規範的要求，以說明三年之喪作為「天下之通喪」的實踐可能之理據。

第二節　「三年之喪」與「啟仁」

一　《論語》對三年之喪的意義賦予

由前文可知，喪禮與喪服制度經過漫長時間的演變，並非自初始就有一套如孔子所說的由生理、心理、倫理三者建構的完整基礎，而是由孔子賦予新意與轉變，對喪葬禮俗賦予倫理意義。將具體物質生活問題、外在禮儀規範提升至心理情感問題，將具體物質層面問題提

24 許清雲：〈儀禮概述〉，收入李曰剛等著：《三禮研究論集》，頁52。有關子服景伯嚴令負責搶救禮書之事，詳見《左傳》〈哀公三年〉（楊伯峻：《春秋左傳注》（下冊），頁1620-1622。）

升至抽象的探討，這即是加藤常賢所說的由「事」至「理」的轉變，參考加藤常賢之說：

> 宰我否定「三年之喪」，孔子說明人在嬰兒時期受到父母三年的照顧，因為這份恩而舉行三年之喪。孔子賦予「三年之喪」新的意義，希望可使三年之喪存在。孔子本身知道「三年之喪」的不適性，故賦予三年之喪新的意義試圖使之存續。雖然為三年之喪賦予新意，孔子有其倫理意義的貢獻，但是若因為孔子說明三年之喪是因為「子生三年，然後免於父母之懷」的恩情而舉行便認為這就是三年之喪的起源，那就是錯誤。「三年之喪」是基於原始習慣。如以上所言，古代思想中可以見到由具體到抽象、由「事」至「理」的轉變。[25]

加藤氏的研究清楚說明了孔子對三年之喪所進行的由「具體」至抽象、由「事」至「理」的轉變，但仔細考察其說法，仍有所缺憾。將三年之喪定為因父母「恩」而舉行之禮，不免使讀者可能因為認為三年之喪只是為了報答父母「三年之愛」，而忽略孔子所重視的三年之喪的真誠情感的心理基礎。

三年之喪不是僅僅是一種對於父母的「回饋」或「回報」，而更應該著眼於孔子所說的「安」、「不安」兩種心理狀態，親子之間有「愛」的連繫而造成這份「安」、「不安」的情緒，直接的內心感受才是「三年之喪」本初的根基。由於真摯情感的抒發而舉行三年之喪，行喪主要原因是安置死者與安頓生者，一旁還達到報答「三年之愛」的效果。由三年之愛所生的內心情感要求引致安、不安的情緒，刺激人對行為進行選擇是第一義的，而達成「報恩」的效果則是第二義

---

25 加藤常賢：《中國古代倫理學の發達》，頁17-18。

的。三年之喪並非起源於為求回報父母恩情或計較厲害。由孔子對於三年之喪的說明可知，安與不安的情緒來自於親子之間的「愛」，而這份「愛」是根基於父母對子女的身體照顧。孔子為三年之喪賦予新的意義（倫理意義），由其架構來看，三年之喪作為倫理規範，其架構的根底是基於具體身體照顧關係，由具體的生理依賴產生情感的需求——「愛」，因親子間「愛」的連繫再產生出「安」與否的心理要求，最終成為實踐倫理規範的動力。

孔子所說的倫理不脫具體身體生長處境，並且將由具體到抽象、由「事」轉變至「理」。然而，這是孔子所賦予喪禮的新意，喪禮的起源仍需多方考察，包含原始習俗、對於死亡的恐懼。若輕易將孔子的論述認為是三年喪的起源，那便是將解釋看做起源的時代錯誤。

由以上的討論來看，孔子賦予三年之喪新的意義與普遍的根據，但《論語》中卻又記載孔子「述而不作」[26]，孔子對三年之喪的解釋似乎與「述而不作」的作風相互衝突。然而，由喪禮、喪服制度的演進來看，孔子「述而不作」的作風事實上應該並不是一種缺乏反省的因襲作法。參考徐復觀對於孔子的「述而不作」進行分析，徐氏認為孔子的「述」，有三大特徵。第一，是從過去特定的事項中，找出富有普遍性的共同準則。第二，是把外在的形式，轉化為內心的德性，使其成為人格成長的表徵，並使形式因受到德性的批判而不致歸於僵化。第三，通過他個人的人格上的體驗與成就，把傳統的觀念推進並提高為高深的根本原理。[27]

徐氏所說的第一種特徵，就是指孔子將一些特定的禮儀發展為一般人的行為規範。根據前文分析孔子對於三年之喪的討論，孔子的作法便是給三年之喪心理情感的基礎，保證普遍人都可以達成。但是孔子對三年之喪進行普遍性的說明，可能遭遇的最大問題就是，並非所

26 《論語》〈八佾〉〈3．4〉

27 詳見徐復觀：《中國思想史論集》，頁158。

有人都可以在父母喪時充分表現自己的情感並真誠面對自己的情感。孔子所論三年之喪中所需要的「指點道德心靈」的自覺與認識，[28]並且配合禮儀的引導與對禮儀的正確認識，才能合宜地實踐禮儀規範。

二　對道德的覺察與認識

對於道德的自覺與知識，並不是人人皆同的。《論語》將人於道德的「知」的能力區分為四種等級，參見《論語》〈季氏〉(〈16・9〉)：

> 子曰：「生而知之者，上也；學而知之者，次也；困而學之，又其次也。困而不學，民斯為下矣！」[29]

實際情況中，人的資質與態度皆有所不同，或生而知之，或學而知之，或困而知之，或困而不學。所知的對象，並不是一般對事物的物理知識，否則「生而知之」如何可能？[30]雖然生而知之者不需要透過

28 詳見蔡仁厚：《中國哲學史》(上冊)(臺北市：臺灣學生，2009年)，頁58。

29 《論語》〈季氏〉〈16・9〉

30 傅佩榮認為：「所知的，是人生正途而不是一般的知識，否則如何可能『生而知之』？並且也只有在人生正途方面才可以說『下』。」(見傅佩榮：《傅佩榮解讀論語》，頁430。)《中庸》中曾經出現類似的句子：「天下之達道五，所以行之者三。曰：君臣也，父子也，夫婦也，昆弟也，朋友之交也，五者天下之達道也；知仁勇三者，天下之達德也；所以行之者一也。或生而知之，或學而知之，或困而知之，及其知之，一也。」(《中庸》〈第二十章〉，《四書章句集注》，頁37。)《中庸》文中提出人處於社會中共同行走的「五達道」——五種具體的人與人之間的交際之道、行此五種交際之道的「三達德」——三種使人能夠妥當進行人與人之間交際之道的方法。依據「三達德」為方法可以恰當地行「五達道」。《中庸》明確地以「五達道」、「三達德」作為所有人「知」與「行」的對象。「五達道」、「三達德」所指的並不單純是指對於事物的物理知識，並且雖有部分的人能夠生下來就知道，但大多數人須透過學習或遇到困難才能理解。《中庸》對於人「知」的能力進行區分時，談及五種道的具體展現——「天下之達道」(君臣、父子、夫婦、昆弟、朋

教育的協助就能夠知道，但是大多數的人都是屬於「學而知之」或「困而學之」，不能夠生下來就明白道德知識與善惡的人，仍然可能透過學習或經驗的積累獲得對於道德知識的認識，即便認識能力有所不同、知道各有先後，只要確實地認識以後，所知道的都是相同的而無高下可言，可見在對於增進道德知識的認識上，教化與學習之重要性。就算多數人不能天生具備對道德的認識，但是因為學習的協助，仍然可以獲得對於道德知識的認識，只怕人遇到困難還不肯去學習。孔子肯定學習有助獲得對於道德知識的認識，且是否願意去學習，也造就對道德知識認知與否的分歧。

認識的方法可以分為兩種，一種是透過直接由當前處境獲得覺察，通過內心的覺察、自覺，由情境啟牖對道德的認識。另一種是藉由學習禮樂，學習分辨是非是善惡與行善避惡。孔子所說的三年之喪屬於第一種，一般人在平日往往茅塞其心，但是當人面對父母死亡時，情感自然流露，透過真誠的省察發現內心的情感需求，於是自發地依照禮儀為父母服喪。雖然人達到充分情感流露與自覺內心的要求可能不是一蹴可及，但透過儀式的舉行，在一連串的喪禮程序中，各項儀節要求參與禮儀的主體聚精會神地體認並經歷至親遠去的事實，讓子女更加深入而細膩地體驗父母的死亡事實，禮儀使參與者由當前處境獲得體驗並督促自我反省，由外部體驗引發內部的自覺，啟發實踐倫理規範的動力。另一方面，人可以透過學習文獻資料，認識到各種禮儀規範與儀節。古代典籍是先人經驗與智慧的累積，好學與深思

友）與三種「天下之達德」（知、仁、勇），顯示《中庸》用「或生而知之，或學而知之，或困而知之」所欲區分的是人對於道德知識的認識能力。此外，值得注意的是，相對於《中庸》強調「知」，《論語》〈季氏〉中第三等的人是「困而『學』之」，且更多出了「困而不學，民斯為下矣」一語。可以見得相較於《中庸》，孔子所欲闡述的，除了人有「生而知之者」與需要透過「學習」才知道的對道德知識認識能力之不同以外，更直接地點明「學」與「不學」的區別，是否願意開始學習也是造成人有所不同的關鍵。

並重，不僅要「多學而識之」，還要「一以貫之」，以統一的思想掌握貫串諸學問，最後還要配合主體的實踐親證。[31]一般人透過學習文獻，得知合於禮儀的適當行為規範，反覆思考，[32]可能有所領悟而達到「學而知之」的成果，啟牖人對於道德知識的認識。學習有所領悟後還要將所學應用在生活中實踐，在適當的時機運用所學。

兩種認識方法必須並重，第一種認識方法所重的是於處境中獲得覺察，但人若只是受情境觸動對於內心情感要求的覺察，往往會不知如何節制與修飾，導致行為的過當，例如在喪禮中因過度哀戚導致傷身。[33]因此，自覺的情感要求引發動力，還要靠對禮的正確認識來節制行為，所以孔子說：「君子博學於文，約之以禮，亦可以弗畔矣夫！」[34]此外，對於禮儀雖有正確的認識，但往往卻是徒具外在禮儀卻缺乏真誠心意，還必須要有內在的自覺配合外在的行儀。透過自我覺察的認識與學習文獻的認識兩者，在將對於道德的認識付諸行動時，必須是相輔相成的。三年之喪所提示的便是內發於心，外合於禮的禮儀規範的啟發教化之功。

第三節　「三年之喪」與「仁」

一　由三年之喪看「仁」的必要條件

「仁」是《論語》關於道德領域中的諸德裡最重要的概念，於

31 傅佩榮分析孔子的學習方法有三：學習古代典籍、好學與深思並重、好學必須配合修身。（詳見傅佩榮：《儒家哲學新論》（臺北市：聯經出版社，2010年），頁96。

32 《論語》〈為政〉〈2・15〉：「子曰：『學而不思則罔，思而不學則殆。』」

33 《禮記》〈檀弓上〉就曾記載子夏因為死了兒子而哭瞎了眼睛，受到曾子責備。「子夏喪其子而喪其明……曾子怒曰：『……喪爾子，喪爾明，爾罪三也。』」（《禮記正義（十三經注疏）》，頁236。）

34 《論語》〈雍也〉〈6・27〉

《論語》中約出現一百零九次之多，[35]孔子本人不以「仁」自居，[36]對於「仁」概念的正面解釋也因為對象不同而有所差異。孔子對於「仁」概念的說明，依據情況而有所不同。所以欲理解孔子對於「仁」的想法，雖難以從正面獲得明確而單一的解釋，但是卻可以由反面，透過孔子對於某些行為是「不仁」或「鮮矣仁」的批評，得知欠缺哪些條件就不能符合「仁」的品質。孔子與宰我討論三年之喪時，孔子批評宰我「不仁」，由宰我對於三年之喪的看法，可以獲得對於「仁」所不可或缺的條件之認識。

三年之喪篇末，孔子指責宰我「不仁」，並且說明子女出生三年後，才能離開父母的懷抱。於其前，孔子問宰我於服喪期間享受逸樂是否安心，並且指出君子在守喪期間享受逸樂會感到不安，內心會產生對於享受逸樂之諸行為的不滿情緒。由心理的問題推回身體的照護關係，明確顯示孔子將身體（生理）與心理的問題進行連結。由父母對子女的身體照護產生親子間的情感，父母死後子女的情感獲得充分展現的契機，享受逸樂便自然感到不安，不安的情緒必須是子女真誠面對內心情感時才會覺察的。面對不安，即面對自己的內心對己之行為的不滿情緒時，人為避開或消弭不安、不滿之情，自然而然會傾向

---

35 見楊伯峻：《論語譯注》（北京市：中華書局，2002年），頁221。

36 《論語》〈陽貨〉〈7．11〉：「若聖與仁，則吾豈敢？」聖與仁並列時，表示聖所側重的是結果，仁則側重於過程，兩者都是凡人所能嚮往的完美境界。（傅佩榮：《傅佩榮解讀論語》，頁185。）孔子所說的「聖」不能忽略「事功」，由《論語》〈雍也〉〈6．30〉來看：「子貢曰：『如有博施於民而能濟眾，何如？可謂仁乎？』子曰：『何事於仁，必也聖乎！堯、舜其猶病諸！夫仁者，己欲立而立人，己欲達而達人。能近取譬，可謂仁之方也已。』」孔子認為博施濟眾是「聖」的表現。由自己的情況設想如何與人相處，設想自己是別人就知道自己該怎麼做，「能近取譬」就是行人的方法，而「聖」不僅是做到「能近取譬」，還將其效用擴展到普遍照顧眾人。一般人經過努力可以做到為周遭的人設想，但是要能夠做到普遍照顧需要身分地位的輔助，所以孔子不以「聖」自居。而「仁」是「死而後已」的（《論語》〈泰伯〉〈8．7〉），行仁是終身之事，終身努力行仁直到死才能停下腳步，所以孔子亦不以「仁」自居。

選擇放棄逸樂。真誠地面對情感可以激勵人進行對自己行為的選擇，使人傾向選擇善事父母，而君子選擇放棄逸樂並且為父母守喪。這份激勵選擇行為的動力來自親子情感，情感又奠基於生理照護關係。孔子最後駁斥宰我「予也有三年之愛於其父母乎！」宰我既已長大成人，在符合常理的情況下，必曾受父母照護，顯然孔子有言外之意。孔子出此言，恐怕是因為宰我明明曾受父母三年之愛，卻沒有正常人性表現的不安情緒，那只能推斷宰我沒有真誠面對內心的情感要求，故孔子斥宰我「不仁」。於是可以得知，不能真誠面對內心情感要求構則「不仁」，不仁是欠缺真誠面對內心情感。

不真誠面對內心情感要求→不仁

仁→真誠面對內心情感要求

由此可知，「真誠面對內心情感要求」是「仁」的必要條件。真誠可以引發人對於內心情感要求的覺察，梁漱溟說：「他以為裡面之情要是充實真摯，實無閑話可說，於此可知仁是一種很真摯敦厚充實的樣子。」[37]梁漱溟說情感是由我們所固有的生命發出來的，所以仁不可以說是後天的條件。誠然，行仁的動力條件是源自於己的，只要面對內心情感要求產生行動動力，便隨時可以行仁。[38]真誠與否遂成「仁」的重要判准之一。

但「仁」不直接就等於「心」。子曰：「回也，其心三月不違仁，其餘則日月至焉而已矣。」[39]顏回因為心可以長時間內不違背仁，所以受到孔子稱讚，明顯地說明心是可以違背仁的，心可以選擇為仁或不為仁。為與不為的關鍵就在於是否真誠面對內在情感要求，如宰我

37 李淵庭、閻秉華整理：《梁漱溟先生講孔孟》，頁22。

38 《論語》〈述而〉〈7．30〉子曰：「仁遠乎哉？我欲仁，斯仁至矣。」

39 《論語》〈雍也〉〈6．7〉

便是算計外在利害，導致不能面對內心的情感。宰我不能面對內心情感要求，正是大部分一般人的寫照。一般人需要進行很多努力才可以使心不違背仁，孔子也是到了七十歲才能夠達致「從心所欲不踰矩」的修養[40]，所以不能直接說「心」便是「仁」。面對眼前的處境內心情感自然流露，並會發出對於行為進行選擇的要求，若加上真誠面對內心情感的配合，便構成為仁的必要條件與基礎。故馮友蘭對仁的基礎說明時強調真實情感：

> 孔丘不說宰予的主張是不孝，而說他是不仁。因為孔丘認為，人的最真實的情感是對於其父母的情感。「子生三年，然後免於父母之懷」，對於父母，自然有最真實的愛慕。父母死了，這種愛慕之情就表現為「三年之喪」。這並不是算帳，只是說，這是人的性情的真的流露。孔丘認為，這是「仁」的根本的根本。[41]

馮友蘭的說法極為準確，首先如前文所論《論語》三年之喪並非一種報恩或算計，孔子將三年之喪的根源建立在三年之愛上，真情流露展現於行動便是三年之喪。三年之愛所生的內心情感要求引致安、不安的情緒，刺激人對行為進行選擇是第一義的，而達成「報恩」的效果則是第二義的。[42]此外，人的性情的真實流露是仁之根本，性情的流

40 《論語》〈為政〉〈2・4〉

41 馮友蘭：《中國哲學史新編》（上冊）（北京市：人民出版社，1998年），頁84。

42 參考章景明的說法：喪服的禮俗既然是源於祖崇拜的一種宗教行為，其原始意義又是基於對鬼神的恐懼心理。為什麼到後來竟被說成為「飾情之章表」（鄭玄語）呢……孔子一方面承襲了舊有的習俗，一方面卻又根據他的思想賦予新的理論——情感的作用。實有摒除迷信，託古改制的意味；他將基於恐懼鬼魂作祟的心理的原始意義，說成「子生三年然後免於父母之懷，……予也，亦有三年之愛於其父母乎？」的報恩之義。（章景明：《先秦喪服制度考》，頁4-5。）章氏雖然指出了孔子

露來自人心，真誠面對真情可以刺激人對行為進行選擇，行仁的動力是由內而發的，只要欲行，立刻便可以行仁。所以孔子說：「仁遠乎哉？我欲仁，斯仁至矣。」[43]但是行仁仍需要配合長久堅持，曾子曰：「士不可以不弘毅，任重而道遠。仁以為己任，不亦重乎？死而後已，不亦遠乎？」[44]行仁是為學者的終生目標，堅持行仁到死後才停下腳步，努力行仁至死才能算是人生目標的完成。一般人若不能日日勉勵，至多也僅能「日月至焉而已矣」[45]。

另一方面，可以由「仁」與喪禮的關係來考察。「禮云禮云！玉帛云乎哉？」[46]禮有內在心意、外在儀節區別，禮的根本不在於一切外在的器物、儀節，亦不是欠缺情感內涵的儀式動作。凡事虛偽造作的行為，孔子皆不以為然，「巧言令色，鮮矣仁。」[47]只是用動聽的言語、熱絡的表情討好的人，欠缺內心的真誠情感，這樣的人鮮能夠符合「仁」的標準，這般「巧言令色」的行為，是孔子引以為恥的。[48]可知，真誠情感不僅是禮的根本，更經常是達到「仁」的必要條件，「人而不仁，如禮何？人而不仁，如樂何？」[49]禮、樂只是人情自然之表示，用以表達人真誠的心意，欠缺內心真誠情感這一項「仁」的必要條件，再多的禮樂形式都形同虛設。關於禮的根本道理，傅佩榮認為：「有重外與重內之分。喪禮對真誠心意的強調，更甚於其他的禮，所以孔子特別加以說明……奢與儉無法並取，易與戚卻可以兼顧，

對於舊有習俗進行轉變的要點，並表明《論語》根據情感的作用賦予三年之喪新意，卻將情感作用視為一種「報恩」，未發覺孔子對情感作用的重視是在於充分展現的情感可以帶來要求行為的動力。

43 《論語》〈述而〉〈7．30〉

44 《論語》〈泰伯〉〈8．7〉

45 《論語》〈雍也〉〈6．7〉

46 《論語》〈陽貨〉〈17．11〉

47 《論語》〈學而〉〈1．3〉

48 《論語》〈公冶長〉〈5．24〉，子曰：「巧言、令色、足恭、左丘明恥之，丘亦恥之。」

49 《論語》〈八佾〉〈3．3〉

只是須分本末。」[50]由此可見喪禮對於真誠情感的重視，超過其他的禮，因而被孔子再三提出討論。一般人很少有能夠充分顯露內心情感的機會，面對越親近的親屬之死，內親的哀戚之情也就越強烈，自然的情感也就越容易表現出來，「人未有自致者也，必也親喪乎」[51]，父母過世是使人有機會充分展現真誠情感的關鍵事件。孔子屢屢論及喪禮應展現哀戚之情，想必是由於真誠情感是「仁」的必要條件，而父母喪禮便是一般人行「仁」的開端吧。緣此，筆者認為《論語》著重喪禮，實是因為喪禮有「啟仁」之功，孔子欲藉以教導弟子人之開端。又「生，事之以禮；死，葬之以禮，祭之以禮。」[52]為父母舉行合禮的喪禮是孝的條件之一，真誠面對內心情感要求為父母行喪構成孝之一重要開端，也因此孔子弟子有子發表其跟從孔子所學時，特別窺見親族孝弟一隅：「孝弟也者，其為仁之本與」[53]。Anne Cheng 說：

> 仁奠基於相互性與關係性上，人屬於人類共同體的具體根基是父子關係。「孝」特別說明了相互性的關係，是達成「仁」的關鍵。因為孝是在家庭內的調和與關係性中，子女對於來自父母的愛所自然產生的反應。這種反應直至子女長大後才獲得具體化，子女長大茁壯後奉養父母，父母死後子女服喪三年。[54]

「生，事之以禮；死，葬之以禮，祭之以禮。」[55]「孝」包含生前善事父母與死後為父母善理後事，親子關係是由生至死的完整過程，子

50 傅佩榮：《傅佩榮解讀論語》，頁47。

51 《論語》〈子張〉〈19・17〉

52 《論語》〈為政〉〈2・5〉

53 《論語》〈學而〉〈1・2〉

54 詳見Anne Cheng著；志野好伸、中島隆博、廣瀨玲子譯：《中国思想史》（東京：知泉書館，2010年），頁51-52。

55 《論語》〈為政〉〈2・5〉

女幼時受到父母的生理照護，由是所生的情感反應需待長大成人方能配合身體力行地實踐，付諸具體行動。善事父母的行為根源是建立於對父母之愛的自然反應上，於父母生命告終時以三年之喪作為莊嚴的收筆。父母是子女最親近的人，亦是子女情感網絡的起點，孝以子女的真誠心意為基，對父母真誠心意的發揮擴充至子女在父母生前乃至父母死後對父母的真誠善待，以父母喪作為真誠面對內心情感要求的關鍵，構成「孝」的條件之一，同時也成為行「仁」的必要條件。

《論語》將「仁」的必要條件建立在一個普遍人人皆有的真誠情感基礎上，由普遍基礎上通於「仁」，保障人人皆可能掌握行仁的關鍵開端，至親之死最能觸動真情，故《論語》對於三年之喪的討論，可以說建立了《論語》一書對於仁的討論基盤，借用徐復觀的說法：

> 孝原是為了建立外在的家庭間的秩序而發展的；到了孔子，則轉而為每一個人內心的天性之愛，是這種內心的天性之愛所不能自己的自然流露。孝是善事父母，是每一個人所能做到的尋常的行為；但孔子把它通向人生最高原理的人上面，而使其成為「為仁之本」。由此可知，孔子是承述了周代的傳統的孝；但在這種承述中，卻把它由統治者的手上拿到每一個人的手上來，使其發生了本質的變化，而成為儒家思想中所永不能缺少的一部分。[56]

結合前文的討論，《論語》對於喪禮、喪服制度根源的說法對照人類學的討論，可知《論語》對其根源作出轉變，並且將三年之喪與「仁」連結。對三年之喪的討論結構可以分成生理、心理、倫理道德三層架構，將倫理道德的關鍵構築於普遍可行的基礎上，成為《論語》論「仁」所不可或缺的一部分。

---

56 徐復觀：《中國思想史論集》，頁158-159。

二　由三年之喪看道德價值

由上的討論可知，喪禮的精神在於以參與者的內心情感、真誠的心意為核心，依照禮的節度之下，藉由禮的協助適當表達人性原有的豐富情感。人性自然表現真摯情感有如鮮艷的色彩，尚待禮的節度與修飾。《禮記》〈雜記〉：「曾申問於曾子曰：『哭父母有常聲乎？』曰：『中路嬰兒失其母焉，何常聲之有？』」[57]哀痛表現於外顯行為的程度因人而異，哭父母之喪沒有一定的聲音，按遠近親疏也有不同的表現方式，哀痛至深的斬衰之哭可能嚴重到「若往而不反」。[58]禮一方面給予參與者合宜的情感展現的場所，另一方面為參與者進行善意的節制，成為人人皆可行的普遍的標準。《禮記》〈檀弓上〉載：「弁人有其母死而孺子泣者，孔子曰：『哀則哀矣，而難為繼也。夫禮，為可傳也，為可繼也。故哭踊有節。』」[59]弁人雖充分表現了哀情，但非人人能做到，依禮則須普及大眾，要人人能行，所以頓足慟哭各有一定節度。禮在人人普遍可以做到的範圍內給予節度，以禮修飾人情。

以內心真誠的情感為中心出發，再配合適當的禮儀運作，更可以達致「審美」的效果，這個觀點可以見於〈八佾〉中孔子與子夏的對話。子夏問曰：「『巧笑倩兮，美目盼兮，素以為絢兮。』何謂也？」子曰：「繪事後素。」曰：「禮後乎？」子曰：「起予者商也，始可與言《詩》已矣！」[60]人的內心情感自然鮮活，自成色彩，由原詩素粉為飾的意涵開展了另一個關涉道德生命開顯的視域，[61]「五采待素而

---

57 《禮記正義（十三經注疏）》，頁1410-1411。

58 《禮記正義（十三經注疏）》，頁1807。

59 《禮記正義（十三經注疏）》，頁259。

60 《論語》〈八佾〉〈3．8〉

61 詳見蔡瑜：〈從「興於詩」論李白詩詮釋的一個問題〉，收入楊儒賓編：《中國經典詮釋傳統（三）文學與道家經典篇》（臺北市：喜瑪拉雅基金會，2001年），頁124。

始成文也」[62]。但是朱熹解釋本段時，不用舊注，改解作繪事「後於素也」[63]，不免忽略了人內心的豐富情感表現。由喪禮的實行情況來看，《論語》強調禮的內外搭配合宜，正如子曰：「質勝文則野，文勝質則史。文質彬彬，然後君子。」[64]未經修飾的內在質樸配合外在紋飾，情與「飾情之章表」[65]搭配得宜，才是君子的修養。「哀」、「戚」等生活情感求適切合宜，依禮的節度文飾達致和諧之境；「不安」的道德情感則需真誠面對，並使之發揮而成為促成行動的動力。[66]

由此可見，禮並非是通盤節制人情的。由喪禮可見，禮是在「哀」、「戚」情感不傷害生者的前提下予以善意的節制，為普遍大眾建立可行的標準。並且以內心「不安」情感的充分展現為實踐動力，使人的道德情感得以發於中而形於外。「真誠面對內心情感要求」是「仁」的必要條件，禮強調真誠情感為基，並且給予真誠情感抒發的途徑。禮以外在的表達方式表達人真誠的心意，可知禮不是要求行禮者完全克制內心情感，反而是在不傷害生者的範圍內適度展現「生活的感情」，並且協助「道德的感情」充分展現，禮與情感要求並非是一味節制的、對立的緊張關係，而是有所權衡緩衝的、內外互補的關係。真誠面對內心情感要求（道德的感情）乃是「仁」之必要條件，禮給予道德的感情充分的發揮空間，可說是達成一種內外互補的「啟

62 凌廷堪：《校禮堂文集》，引自《論語集釋》，頁158。鄭玄對於「繪事後素」之解：「繪，畫文也。凡繪畫先布眾色，然後素分布其間，以成其文，喻美女雖有倩盼美質，亦須禮以成之也。」（鄭玄：《論語鄭氏注》，引自《論語集釋》，頁159）由繪畫手法來看，先畫上各種顏色，在以白色分間之，加以文飾，使種色彩分明。以白色為裝飾的說法亦可見於《易經》〈賁〉〈上九〉：「白賁無咎」。朱熹：《周易本義》，頁106。

63 《四書章句集注》，頁84。

64 《論語》〈雍也〉〈6．18〉

65 鄭玄語。《禮記正義（十三經注疏）》，頁1816。

66 成中英認為儒家基本上區分兩種情緒（詳見〔美〕成中英：《美的深處——本體美學》，頁108-109。）關於「道德的感情」、「生活的感情」之說明，詳見第二章註64。

仁」作用。

人可以自由選擇是否真誠面對情感，面對安與不安的情緒進而影響行為，有自由選擇行為的空間。自然情感流露，使人自覺內心的道德要求，由自覺產生使人主動實踐禮儀規範的動力而不靠外力的幫助，才能算是行仁的關鍵。因此蔡仁厚說：「『覺』，是悱惻之感，亦即孔子所說的『不安』之感，孟子所說的『不忍人之心』。有覺，纔有四端之心，無覺便是所謂痲木。『痲木不仁』的成語，正反顯示『仁』的特性是『覺』而『不痲木』。這個覺，不是心理上的感覺或認知上的知覺，而是指點道德心靈的」。[67]沒有人的主體性的活動，便無真正地道德可言，具有「主動性」、「自覺性」的愛，為三年之喪的禮儀實踐賦予道德價值。[68]

《論語》中對於價值之討論，舉《論語》對於「孝」的討論為例，由《論語》〈為政〉〈2・7〉來看，《論語》討論價值問題時，是建立在行為者有選擇行為的自由上而論。評價比較必來自選擇權衡，選擇權衡則必須依於一個具有知、情、意之自由的主體。[69]

> 子游問孝。子曰：「今之孝者，是謂能養。至於犬馬，皆能有養；不敬，何以別乎？」[70]

---

67 蔡仁厚：(上冊)《中國哲學史》，頁58。

68 徐復觀認為：「順著生理作用所發出的自私之愛缺少了道德性的自覺，不能表現道德價值。必須加上了道德理性自覺以後的自然之情，在其自覺的要求下，同時即超越了自己的生理限制，突破個人的自私，而成為一種道德理性的存在。」(詳見徐復觀：《中國思想史論集》，頁160。）又說：「沒有人的主體性的活動，便無真正地道德可言。」(見徐復觀：《中國人性論史・先秦篇》，頁37。）基於父母在孩提時的身體照顧所產生的親子之愛，導致父母亡故時出現對於內心情感要求的自覺，引發行動力，不計較物質生活的利害，企求由自己實踐對父母的關懷，這就是徐復觀所言的由生理轉向理性。(詳見同書，頁160。）

69 見傅佩榮：〈存在與價值之關係問題〉，《哲學論評》第15期（1992年），頁137。

70 《論語》〈為政〉〈2・7〉

這段對話據朱熹的注解，意義為「人畜犬馬，皆能有以養之，若能養其親而敬不至，則與養犬馬者何異。」[71]朱熹的解釋有諸多值得反省之處。首先孔子對於人與動物的區分甚明，「廄焚。子退朝，曰：『傷人乎？』不問馬。」[72]人畜之辨昭然，犬馬於《論語》中根本無法與人相提並論，自然人對於他人甚至父母的態度，必與對待犬馬的態度有所不同，不必再加說明。再者，依朱注，則本段中兩個「養」字意義必須不相同，並且是由於「敬」的態度才區別出對父母之奉養與對犬馬之飼養。父母與犬馬的差異不待敬而後辨，如果必須待「敬」才能分別飼養犬馬與奉養父母之別，彷彿是以犬馬、父母為同列。又《禮記》〈坊記〉：「小人皆能養其親，君子不敬，何以辨？」[73]所辨者是抱持「敬」與否的行為者，而不是所對待的對象。由以上諸觀點來看，採「犬馬養人」的解釋途徑較為通順，並且更突顯人畜之別與「敬」的價值。

犬馬服侍人的行為，一方面是出於動物的本能，一方面是受到飼主的役使而被動服侍人，動物對於人並沒有敬不敬的問題。動物服侍人是沒有價值可言的行為，但人奉養父母的行為卻有價值可言。人類侍奉父母是基於主動自由的選擇權衡，在能夠主動選擇善待父母的前提之下，其行為才具有價值。[74]如果只選擇像動物服侍人一般服侍父母，就是放棄主動選擇「敬」的機會，不敬的子女就和犬馬沒什麼兩樣。

---

71 見《四書章句集注》，頁73。

72 《論語》〈鄉黨〉〈10．17〉

73 《禮記正義（十三經注疏）》，頁1646。

74 「存在是指稱『實然』的一切，價值則指稱『應然』的可能性之實現。宇宙萬物皆屬存在，其樣態並非靜止，亦有由潛能趨於實現之變化，然此一變化必有規則，因此亦可說是必然的。價值則專就人的存在而言，因為人有自由，可以選擇評價，使價值因而呈現；因此，離開具體的個人，價值無由呈現。」（見傅佩榮：〈存在與價值之關係問題〉，頁127。）

《論語》中的禮之所以可以上通「仁」，並且與道德價值相關，就是由於禮本身並非一種具強制性的規矩，而是提示人的「應然」行為。不能依禮而行者，至多如宰我受到孔子「不仁」的批判，雖然受到否定的評價，但卻不會受到具體的制裁，所以孔子只能告訴宰我「女安則為之」。如果禮像法一樣是必須絕對服從、不得違反的消極限制條例（違反者會受懲罰）時，行為合乎「禮」就失去了道德價值。道德是建立在有自由選擇行為的空間，如果禮是必須絕對遵守的強制規則，為了配合強制性的規則而努力克制自己以符合禮的規範就顯得毫無道德價值。

因此「禮」的重要性在於「禮」是設定出理想的人際相處狀態，在人有自由選擇的前提之下，由人自己主動自發去做合乎禮的行為，在自覺行禮的前提下，那才可說是值得稱讚的具有道德價值的行為。違禮的行為若能夠主動選擇不去做，積極主動選擇合乎禮的行為，便富有道德價值。禮的目的在於啟發人主動積極實踐禮的規範，而非消極的被動克制。孔子身處禮壞樂崩的時代，禮儀漸不被正確實踐，《論語》中對於三年之喪的討論一來基於子女自由選擇權衡的可能上，二來基於子女真誠面對內心情感所帶來主動行為的動力，故孔子將不行三年之喪視作「不仁」──道德的缺失，成為《論語》中論價值的樞紐。

第四節　小結

由本章的討論可知，孔子身處「禮壞樂崩」的時空環境，各項禮儀規範漸漸不被正確的實踐。除了時人違禮之舉外，部分禮儀的文獻記載亦付之闕如。同時為了符應時空、社會經濟條件的變遷，部分禮儀逐漸發生改變。在禮壞樂崩的局面下，面對固有三年之喪的禮儀遭受質疑的情況，孔子將三年之喪的基礎建立在人人皆有的情感要求之上，對喪禮進行普遍性建構。

為了建立三年之喪的普遍基礎，孔子賦予三年之喪新的意義。將三年之喪的根源追溯至子女幼年接受父母身體照護，父母的三年之愛使親子之間因而萌生情感網絡。基於三年之愛的自然反應，子女內心產生善事父母的情感需求。一般人少有能夠充分表達自己內心情感的機會，父母喪是一個重大的表現契機。在父母喪的關鍵事件中，子女真誠省察自己內心的情感要求，發現若在父母喪期中享樂便會不安。基於內心善事父母的心理需求，以及為了消弭、避免不安的情緒，子女湧現身體力行為父母服喪、實踐倫理規範的動力。孔子將三年之喪的根源賦予生理、心理、倫理三層面緊密關聯的架構，將作為外在具體禮儀規範的喪禮，提升至情感、事理的層面探討，使喪禮即便面對具體環境改變還能持續存續，並且具有更普遍且有力的基礎。

孔子所論的三年之喪，其關鍵在於對內心情感需求的自覺與認識。但由於每個人對於情感要求的自覺與認識的能力有所差異，所以需要藉由當前環境觸發覺察或經由學習禮儀規範啟牖，學習禮儀規範還可以達到調節情感之功，使人行禮和宜。子女真誠面對內心情感需求，引發對道德的感情產生自覺，就成為行禮的動力來源，而關鍵就是在於是否真誠面對心理需求。宰我因為不能真誠面對自己內心不安的情緒，被孔子批評為「不仁」，由本章分析可知，「真誠面對內心情感要求」是「仁」的必要條件，於是真誠與否成為「仁」的重要判準之一，三年之喪可說是考察《論語》中的「仁」概念時相當重要的一個篇章。

三年之喪中，子女內心豐富的情感藉禮儀的調節妝點和宜，道德情感藉漫長的喪情得以抒展，在人有自由選擇的是否為父母行三年之喪的前提之下，由人自己主動自發去做合乎禮的行為，在自覺內心需求而行禮的前提下，三年之喪可說是值得稱讚的具有道德價值的行為，於是能夠上通於啟仁的教化作用。

喪禮很重要的一方面是基於促進社會的健全與活絡人群而設立，透過層層的儀節，在適當的時間內，輔助當事人體認親愛的家人已經遠去的事實，使生者對死者已經遠去的事實進行確實的認識，在藉由一道一道的喪禮安排，反覆練習控制、收斂自己的情緒，使生者可以在合宜的期間內，在適當的節度以內發洩悲痛之情，過度的發洩情緒可能會對生者造成傷害，故設儀節以避免之。由喪禮、喪服期間的限制，協助當事者可以在確定的時間回歸正常社會生活，並不因為喪失至親的悲痛而一蹶不振，生活的感情依禮節度適當合宜。另一方面，喪禮的另一層意義是透過外在的影響，啟牖當事人的心情。社會上不免有些冷漠的人，透過喪禮的各種儀節，促使喪親者進入「悲傷的情境」之中，由外在的各種動、當前的處境，誘導啟發人覺察內在真實情感要求。人所覺察到的「道德的感情」則需要真誠面對，使它變成一種自覺的要求，作為促成行為的動力。喪禮一方面契合人性需求，一方面啟牖人性的真誠顯露。最終還可由個人的真誠情感抒發，擴而充之拓展真誠情感，進一步獲致社會功能。[75]

三年之喪的喪期雖然漫長，但總有終了之時。然而喪親的哀痛是子女終生無法忘懷的，《禮記》〈檀弓上〉：「喪三年以為極，亡則弗之忘矣。」[76]三年之喪結束後，子女仍定期依禮舉行祭祀追思父母，延續心中對父母的思慕之情。前文論及喪禮對死者的安頓功能中，提出喪禮同時對死者的「形」與「精」進行安頓。父母的身體雖然隨喪葬儀式入土，但仍留下其「精」存續，成為子女祭祀的對象與前提。本章討論完喪禮的教化功能，關於喪畢後的祭祀之探討，留待下章再行詳細討論。

---

75 《論語》〈學而〉〈1・9〉：「曾子曰：『慎終追遠，民德歸厚矣。』」

76 《禮記正義（十三經注疏）》，頁204。

第四章
《論語》中的祭禮
——以祖先祭祀為中心

承接前三章所探討的喪禮，本章將對於祭禮進行討論。當人有限的生命走到盡頭，親友紛紛前來聚集在死者身邊，依禮安頓死者的「形」與「精」。在喪禮的種種儀式之中，生者的身心亦獲得安頓。在漫長的喪禮與服喪過程中，歷經層層隔離，生者逐漸體察死者已經遠去，經由長時間的服喪使心情緩緩平復。喪期雖長，但喪失至親者的哀情卻難以被完全消弭。生者在喪禮結束以後雖回歸於往日的日常生活，但心中仍存在對至親難以抹滅的思慕之情，即使至親的身體已經入土，愛親之情仍持續存在生者心中，對於死者的情感不隨死者亡故而一了百了。因此，生者在喪畢以後，依舊持續定期為至親舉行祭祀，追思已經死去的親屬。《論語》中除了屢屢談及喪禮的問題，亦記載了許多對於祭禮的討論。本章將對於《論語》中有關祭祀的篇章進行研究，對祭禮的討論主要分成三個闡述方向：一是行祭禮對象的界定，本文將以祖先祭祀為主進行討論，再及其餘百神；二是祭禮的準備作業，以「齊」為主，且齋戒是孔子三慎之首，是為了順利舉行祭禮的前置作業；三是參與祭禮所應抱持的態度，以恭敬虔誠為主。本文依序分節探討。

第一節　行祭禮對象的界定

一　春秋時代常見的祭祀對象類別

古人相信神祇與至上神並存，神祇享受人間獻祭，作為天人中介，[1]現世的人可以透過神祇的中介與至上神取得溝通，溝通管道除前文所談論過的「禱」以外，還有向鬼神獻祭等方式，本章以祭為討論核心。祭禮的對象很多，廣及昊天上帝、日月星辰、社稷山川百神、以及人鬼祖先等等。[2]《禮記》〈祭法〉中記載了古人舉行祭禮的各種對象：

> 燔柴於泰壇，祭天也。瘞埋於泰折，祭地也。用騂犢。埋少牢於泰昭，祭時也。相近於坎、壇，祭寒暑也。王宮，祭日也。夜明，祭月也。幽宗，祭星也。雩宗，祭水旱也。四坎壇，祭四時也。山林、川谷、丘陵能出雲為風雨，見怪物，皆曰神。有天下者祭百神。諸侯在其地則祭之，亡其地則不祭。[3]

可見諸神種類、數量龐雜。出現不常見的現象者，古人將之統稱為「神」。古人為求方便起見，將諸神大致區分為三種類別：天神、地示（祇）、人鬼。[4]以此三類區分諸神的文獻記載又可見於《周禮》，

1　詳見傅佩榮：《儒道天論發微》，頁90。至上神不在本文討論範圍以內，故不多加申述。

2　章景明：〈喪之禮吉凶觀念之分別〉，收入李曰剛等著：《三禮研究論集》，頁172。

3　《禮記正義（十三經注疏）》，頁1510。

4　蕭登福認為天神、地祇以所屬的空間位置不同，天神屬於空中與天象有關，地祇屬於地上與大地有關，而人死為鬼。「屬於空中的，如天帝、日、月、星、辰、風、雨、雷、電等神，皆歸於天神，凡是在地上的，如大地、山、川、河、澤、社、稷等，皆屬於地示。凡是人死後之魂魄，皆稱為人鬼。」蕭登福：《先秦兩漢冥界及神仙思想探原》（臺北市：文津出版社，2001年），頁37-38。

參見《周禮》〈大宗伯〉：

> 大宗伯之職，掌建邦之天神、人鬼、地示之禮，以佐王建保邦國。以吉禮事邦國之鬼神示：以禋祀祀昊天上帝，以實柴祀日月星辰，以槱燎祀司中、司命、飌師、雨師。以血祭祭社稷、五祀、五嶽，以貍沈祭山林川澤，以副辜祭四方百物。以肆獻祼享先王，以饋食享先王，以祠春享先王，以禴夏享先王，以嘗秋享先王，以烝冬享先王。[5]

由於諸神的職能各不相同，所以古人為了因應不同的要求而以不同的方式於適當的時機對於諸神進行祭祀獻饗。依賈公彥的分類說明可知，昊天上帝、日月星辰、司中、司命、飌師、雨師當屬天神；[6]社稷、五祀、五嶽、山林川澤、四方百物當屬地祇；[7]先王當屬人鬼。[8]

毫無疑問地，人鬼是人類死後所變成，人對於死去的現世的祖先所轉化而成的鬼進行祭祀，形成以親族血緣相互聯繫的祖先祭祀。對於人鬼的祭祀還有另外一種類型，將對於人民有重大功勞事蹟的死者作為祭祀對象，供人民瞻仰先人懿行，參見《禮記》〈祭法〉：

> 夫聖王之制祭祀也，法施於民則祀之，以死勤事則祀之，以勞定國則祀之，能禦大菑則祀之，能捍大患則祀之……此皆有功烈於民者也；及夫日、月星辰，民所瞻仰也；山林川谷丘陵，

5 《周禮注疏（十三經注疏）》，頁529。

6 「『以煙』至『雨師』，釋曰：此祀天神之三禮，以尊卑先後為次，謂歆神始也。」(《周禮注疏（十三經注疏）》，頁530。)

7 「『以血』至『百物』，釋曰：此一經言祭地示三等之禮，尊卑之次，亦是歆神始也。」(《周禮注疏（十三經注疏）》，頁540。)

8 「此六者皆言享者，對天言祀、對地言祭，故宗廟言享。享，獻也，謂獻饌具於鬼神也。」(《周禮注疏（十三經注疏）》，頁541。)

民所取材用也。非此族也，不在祀典。[9]

祖先與有懿行的先人所轉化成的鬼神皆可成為祭祀對象，並且部分有善舉、有功勞於民的人鬼，還會被奉為「神」。

雖然「天神」、「地祇」、「人鬼」三類有所區別，但三類別之間並非全無關聯，人鬼可以轉變為天神、地示，可以轉變為自然神。[10]日月星辰、社稷山川百神等各類「自然神」雖有別於「人鬼」，但自然神不盡然就等於自然本身，見《國語》〈魯語下〉、《左傳》〈昭公元年〉[11]記載可以得知，春秋時代的人可以接受自然神源自現世人物的說法，可見自然神並不是與現世毫無淵源的空想。由此可知，春秋時代祭祀的人鬼包含祖先與有功於民的先人。

9 《禮記正義（十三經注疏）》，頁1524。

10 詳見蕭登福：《先秦兩漢冥界及神仙思想探原》，頁39。

11 《國語》〈魯語下〉：「客曰：『敢問誰守為神？』仲尼曰：『山川之靈，足以紀綱天下者，其守為神；社稷之守者，為公侯。皆屬于王者。』客曰：『防風何守也？』仲尼曰：『汪芒氏之君也，守封、嵎之山者也，為漆姓。在虞、夏、商為汪芒氏，于周為長狄，今為大人。』客曰：『人長之極幾何？』仲尼曰：『僬僥氏長三尺，短之至也。長者不過十之，數之極也。』」〔春秋〕左丘明撰；鮑思陶點校：《國語》（濟南市：齊魯書社，2005年），頁103-104。

《左傳》〈昭公元年〉：「晉侯有疾，鄭伯使公孫僑如晉聘，且問疾。叔向問焉，曰：「寡君之疾病，卜人曰『實沈、臺駘為祟』，史莫之知。敢問此何神也？」子產曰：「昔高辛氏有二子，伯曰閼伯，季曰實沈，居于曠林，不相能也，日尋干戈，以相征討。后帝不臧，遷閼伯于商丘，主辰。商人是因，故辰為商星。遷實沈于大夏，主參，唐人是因，以服事夏、商。其季世曰唐叔虞。當武王邑姜方震大叔，夢帝謂己：『余命而子曰虞，將與之唐，屬諸參，而蕃育其子孫。』及生，有文在其手曰虞，遂以命之。及成王滅唐，而封大叔焉，故參為晉星。由是觀之，則實沈，參神也。昔金天氏有裔子曰昧，為玄冥師，生允格、臺駘。臺駘能業其官，宣汾、洮，障大澤，以處大原。帝用嘉之，封諸汾川，沈、姒、蓐、黃實守其祀。今晉主汾而滅之矣。由是觀之，則臺駘，汾神也。抑此二者，不及君身。山川之神，則水旱癘疫之災於是乎禜之；日月星辰之神，則雪霜風雨之不時，於是乎禜之。」楊伯峻：《春秋左傳注》（下冊），頁1217-1219。

而《左傳》記載「神不歆非類，民不祀非族」（僖公十年）[12]、「鬼神非其族類，不歆其祀」（僖公三十一年）[13]的原則，古人祭祀的對象雖種類眾多，但依身分之別，可行祭祀的對象亦有所不同，且鬼神不會欣然接受非我「族類」的祭祀。而最接近於一般現世人類的祭祀對象乃是人鬼，而人鬼中又以與自身最親近的過世親屬與祭祀者的關係最為密切，在世的生者對於過世親屬進行祭祀，企圖透過祭祀與祖先溝通連繫，再遍及其餘類型的鬼神。由前文可知「天神」、「地祇」經常源自「人鬼」，而「人鬼」是人死後所轉化而成，生者對於這類祭祀象舉行祭禮時，可說是與處於死後世界的死者進行溝通。前文討論喪禮相關的議題，喪禮係為人由生跨足至死的轉捩點，活在現世的生者雖然對死後的世界無從瞭解，但能夠透過與亡者的溝通，進而與死後的世界產生關聯。本章欲延續喪禮的討論，以與生者最親近的祖先祭祀為中心，將方向轉向生者與亡故的死者之間的溝通，從以祭禮為主的溝通方式，來探討《論語》所論人與死者的關係。

二　《論語》中的祭祀對象

活在現世的人與鬼神的溝通方式眾多，依據《論語》的記載，古人與鬼神最常見的溝通方式主要有兩種：「祭祀」與「祈禱」，甚至可能透過獻祭的方式諂媚神明。《論語》所見能夠較明確指出祭祀、祈禱對象的段落如下：

> （一）孟懿子問孝。子曰：「無違。」樊遲御，子告之曰：「孟孫問孝於我，我對曰：『無違』。」樊遲曰：「何謂也？」

12 楊伯峻：《春秋左傳注》（上冊），頁334。

13 楊伯峻：《春秋左傳注》（上冊），頁487。

子曰：「生，事之以禮；死，葬之以禮，祭之以禮。」[14]

（二）子曰：「非其鬼而祭之，諂也。見義不為，無勇也。」[15]

（三）三家者以《雍》徹。子曰：「『相維辟公，天子穆穆』，奚取於三家之堂？」[16]

（四）季氏旅於泰山。子謂冉有曰：「女弗能救與？」對曰：「不能。」子曰：「嗚呼，曾謂泰山，不如林放乎？」[17]

（五）子曰：「禘自既灌而往者，吾不欲觀之矣。」[18]

（六）或問禘之說。子曰：「不知也。知其說者之於天下也，其如示諸斯乎！」指其掌。[19]

（七）祭如在。祭神如神在。子曰：「吾不與祭如不祭。」[20]

（八）王孫賈問曰：「『與其媚於奧，寧媚於竈。』何謂也？」子曰：「不然。獲罪於天，無所禱也。」[21]

（九）子貢欲去告朔之餼羊。子曰：「賜也，爾愛其羊，我愛其禮。」[22]

（十）子疾病，子路請禱。子曰：「有諸？」子路對曰：「有之。《讄》曰：『禱爾于上下神祇。』」子曰：「丘之禱久矣。」[23]

（十一）雖疏食菜羹，必祭，必齊如也。[24]

（十二）君賜腥，必熟而薦之。[25]

---

14 《論語》〈為政〉〈2・5〉

15 《論語》〈為政〉〈2・24〉

16 《論語》〈八佾〉〈3・2〉

17 《論語》〈八佾〉〈3・6〉

18 《論語》〈八佾〉〈3・10〉

19 《論語》〈八佾〉〈3・11〉

20 《論語》〈八佾〉〈3・12〉

21 《論語》〈八佾〉〈3・13〉

22 《論語》〈八佾〉〈3・17〉

23 《論語》〈述而〉〈7・35〉

24 《論語》〈鄉黨〉〈10・11〉

25 《論語》〈鄉黨〉〈10・18〉

（十三）季路問事鬼神。子曰：「未能事人，焉能事鬼？」[26]

以上篇章的祭祀、祈禱對象粗略可分為三類：人鬼及祖先神、山川神、其餘百神。其中（一）、（二）、（三）、（五）、（六）、（九）、（十二）、（十三）的祭祀對象屬於人鬼及祖先神，（四）的祭祀對象為山川之神，（七）、（八）、（十）、（十一）的對象則屬其餘百神。

由前文引述的篇章可知，《論語》中經常未區分天神、地祇、人鬼三種祭祀對象，而將祭祀對象統稱為「鬼神」。前文已經說明「鬼」與「神」沒有截然不可破的分界，「鬼」、「神」二詞經常可以合用或交錯使用。例如《論語》中季路請教如何事奉鬼神，問題中言「鬼神」，但是孔子的回答「未能事人，焉能事鬼」，孔子沒有以「事鬼神」答覆，而以「事鬼」一詞回應[27]。從此段問答中可知，在孔子的時代中可以用「鬼神」二字，也可以單用「鬼」一個字，兩者多可相通，可見《論語》中鬼與神可以合用亦可分用。此外，在《論語》記載的「敬鬼神而遠之」[28]、「非其鬼而祭之」[29]、「菲飲食而致孝乎鬼神」[30]、「祭如在，祭神如神在」[31]等用例中，「鬼」、「神」、「鬼神」三詞彙所表述的概念皆是指向相對於活在現世人們的存在。加地伸行更直接指出：

> 子路問事鬼神的方法時，孔子起初回答「未能事人，焉能事鬼」。子路進一步追問「敢問死」時，孔子回答「未知生，焉知死」。由於「鬼（神）」（靈魂）的一般化就是「死」，這兩個

26 《論語》〈先進〉〈11．12〉
27 《論語》〈先進〉〈11．12〉
28 《論語》〈雍也〉〈6．22〉
29 《論語》〈為政〉〈2．24〉
30 《論語》〈泰伯〉〈8．21〉
31 《論語》〈八佾〉〈3．12〉

> 問答有明顯的關聯。亦即，「人」與「鬼（神）」、「生」與「死」的對比就是「人・生」與「鬼（神）・死」的對比。[32]

加地伸行將「人」、「生」與「鬼神」、「死」這兩組概念相互對比，認為提到「鬼神」就是與死亡相關的議題。依此說，就可以明確得知，當《論語》論及一般人與「鬼神」的交流相處之道時，其實就是企圖說明活在現世與死後世界的溝通。由前文統計可知，《論語》中可明確指出的祭祀對象有大部分是人的祖先或父母所轉化而成的鬼神，而孔子認為子女對於父母的孝行以「生，事之以禮；死，葬之以禮，祭之以禮。」[33]為必要條件之一，前文所談的喪禮與本章所論的祭禮，在《論語》中可以說是現世子孫與已故的父母、祖先溝通的生死一貫系統。判明《論語》中所論及的主要祭祀對象以後，下一節將以《論語》中所論的祭禮的準備作業為中心進行討論。

第二節　祭禮的準備作業——「齊」

舉行祭禮以前的準備作業大致可以分成物質方面的準備與精神方面的準備。舉行祭禮以前，參與祭祀者準備進獻於鬼神的祭品，《禮記》〈祭義〉:「祭之明日，明發不寐，饗而致之，又從而思之。」[34]參與祭祀者於祭祀前日徹夜不眠，準備各種祭品等待祭祀對象前來品嚐，獻上祭品等待鬼神來品嚐，希望能夠藉物質層面的祭品與鬼神進行交流。然而，各種物質的籌辦準備都必須以參與祭祀者的專心致志為前提，《禮記》〈祭義〉:

---

32 加地伸行:《孔子——時を超えて新しく》（東京：集英社，1991年），頁250。

33 《論語》〈為政〉〈2・5〉

34 《禮記正義（十三經注疏）》，頁1533。

> 孝子將祭，慮事不可以不豫；比時具物，不可以不備；虛中以治之。宮室既脩，牆屋既設，百物既備，夫婦齊戒沐浴，盛服奉承而進之。洞洞乎，屬屬乎，如弗勝，如將失之，其孝敬之心至也與！薦其薦俎，序其禮樂，備其百官，奉承而進之。於是諭其志意，以其恍惚以與神明交，庶或饗。庶或饗之，孝子之志也。[35]

由引文可見，祭祀前準備各類祭品、修飾廟宇直至舉行祭禮時進獻祭品，態度是保持專注而恭敬的，將孝敬之心表達到極致，進而能夠順利與鬼神交通。並且祭祀以前必須藉由「齋戒沐浴」等準備工作，協助參與祭祀者與鬼神產生交流。《論語》中除屢屢談及與祖先、鬼神祭祀，對於祭祀的準備工作也有相當的說明。

《論語》中對於祭品的準備細節並未加以說明，反而數度言及關於祭祀以前的齋戒準備。《論語》中甚至這樣描述孔子：「子之所慎：齊、戰、疾。」[36]，「戰」直接關係國家與人民存亡安危，「疾」更與人民生活健康直接相關，孔子對於「戰」與「疾」的謹慎重視是可以理解的。至於孔子為何重視「齊」[37]，且以「齊」為三慎之首，有必要由《論語》如何看待「齊」進行討論。

《論語》中「齊」字作「齋戒」義者，僅有二處。[38]除了前文所

---

35 《禮記正義（十三經注疏）》，頁1537-1538。

36 《論語》〈述而〉〈7．13〉

37 「齊」字古通「齋」字。《經典釋文》：「側皆反，本或作齋同。」（〔唐〕，陸德明：《經典釋文》北京市：中華書局，1983年，頁348。）周何認為：「經典文獻中『齋』都寫作『齊』，可見『齊』應該就是本字，取其『齊一』或『齊其不齊』的意思。因為與祭祀鬼神有關，後來才另加『示』旁，使齋戒的意義得有一個專用的文字。」（周何：《古禮今談》，頁216。）

38 考察「齊」於《論語》中，總共出現於二十一個段落，排除齋戒、國名、人名、齊衰等用法以外，另有：

(一)《論語》〈為政〉〈2．3〉：「齊之以刑……齊之以禮」，此處的齊作「所以一之也」解（〔《四書章句集注》，頁70。）

及的三慎之首一處以外，另一處在《論語》〈鄉黨〉〈10・7〉：

> 齊，必有明衣，布。齊必變食，居必遷坐。[39]

本段的應解為「齋戒時，沐浴一定要有布製的明衣。[40]齋戒時，一定要改變平日的飲食與居所，一定要『遷坐』。」，筆者認為應斷句為：「齊，必有明衣，布。齊必變食、居，必遷坐。」

齋戒時改變衣著，以達潔身之效。齋戒時對於飲食亦有所講究，改變平時飲食內容。該段後接與飲食相關的內容，《論語》〈鄉黨〉〈10・8〉：

> 食不厭精，膾不厭細。食饐而餲，魚餒而肉敗，不食。色惡，不食。臭惡，不食。失飪，不食。不時，不食。割不正，不食。不得其醬，不食。肉雖多，不使勝食氣。唯酒無量，不及亂。沽酒市脯，不食。不撤薑食。不多食。[41]

江聲《論語竢質》、邢昺《論語注疏》皆以「食不厭精」至「不多

(二)《論語》〈鄉黨〉〈10・4〉：「攝齊升堂，鞠躬如也，屏氣似不息者。」，此處作「衣下縫」解（《四書章句集注》，頁159。）

(三)《論語》〈里仁〉〈4・17〉：「見賢思齊」。《御覽》，「四百二引鄭注：齊，等也。」（《論語集釋》，頁269。）

此外尚餘《論語》〈鄉黨〉〈10・11〉：「雖疏食菜羹，必祭，必齊如也。」一段，將於後文再進行解釋。

39 《論語》〈鄉黨〉〈10・7〉

40 參考劉寶楠對於「明衣」的說明可知「明衣」異於「浴衣」，所用時間點亦不相同。（〔清〕劉寶楠撰；高流水點校：《論語正義》，北京市：中華書局，1990年，頁405。）但程樹德認為：「劉氏《正義》以為浴衣以外別有明衣，反以不誤者為誤，皆因目不睹浴衣之制，故有此疑。」（《論語集釋》，頁685。）筆者依程氏見解，採「明衣」為「浴衣」。

41 《論語》〈鄉黨〉〈10・8〉

食」為齋戒時的飲食原則；[42]朱熹、劉寶楠以為一般為禮食常食之節。[43]後說以《論語》〈鄉黨〉〈10・8〉為常食之節，雖《禮記》〈內則〉多論及飲食配合時節與適當的佐料，並且應慎選食材等，但是〈內則〉中「食譜」的部分與《儀禮》〈公食大夫禮〉、《周禮》〈天官〉酒人庖人食醫諸職相雷同，多屬貴族飲食之儀，一般人恐難於常食加以實踐。而且一般人於日常飲食生活中若也以「沽酒市脯，不食」為原則，那麼則將無此專賣行業的存在。另外「肉雖多，不使勝食氣」一句也恐與當時的社會經濟條件不符，參見《孟子》〈梁惠王上〉：「雞豚狗彘之畜，無失其時，七十者可以食肉矣。」[44]肉是貴重資源，一般人平常飲食生活中可以取用的肉食有限，必須到一定年紀才可以常備肉食，[45]甚至連經濟條件較好的大夫階級日常肉食也有所限制：「大夫燕食，有膾無脯，有脯無膾。士不貳羹胾，庶人耆老不徒食。」[46]又《周禮》〈天官〉記載：「腊人：掌乾肉，凡田獸之脯腊膴胖之事。凡祭祀，共豆脯、薦脯、膴、胖，凡腊物。賓客、喪紀，共其脯腊，凡乾肉之事。」[47]祭祀時貴族設有腊人專司祭祀所需的乾肉，顯示貴族祭祀時的乾肉需由腊人特製，而不選用「市脯」。

「食不厭精，膾不厭細」，食物講求精緻、肉類要求細巧，此一原則在肉食受限的春秋時代看來十分不符合一般庶民飲食標準，必是有一定經濟能力者才能負擔的飲食需求。「肉雖多」一語更反映本段

---

42 《論語集釋》，頁686-688。

43 劉寶楠：「朱子集注，以明衣變食遷坐為齊禮，食不厭精以下，為禮食常食之節，於義更合。」(《論語正義》，頁413-414。)

44 《四書章句集注》，頁282。

45 《禮記》〈內則〉：「五十異粻，六十宿肉，七十二膳，八十常珍，九十飲食不違寢，膳飲從於遊可也。」《禮記》〈內則〉中對於食肉的年齡設定較《孟子》所述稍早：「雞豚狗彘之畜，無失其時，七十者可以食肉矣。」(《孟子》〈梁惠王上〉) 年長者六十歲有常備的肉食。(詳見《禮記正義（十三經注疏）》，頁994)

46 《禮記》〈內則〉，見《禮記正義（十三經注疏）》，頁988。

47 《周禮注疏（十三經注疏）》，頁124-126。

非庶民燕食原則。

本段中可以食用的食物來看，「魚」、「肉」、「酒」、「薑」在正確的烹調、搭配、不過量的前提下是可以食用的。其中「薑」依朱熹的解釋，具有「通神明，去穢惡」[48]的功用，所以不撤走。通神明並非一般日常生活中的活動，而與祭祀有關，故由「不撤薑食」應為祭前齋戒時，為使舉祭時能順利與鬼神溝通的飲食準備。

至於「酒」，今人可能多以為齋戒多是禁酒、禁葷。《禮記》中提示「酒」的作用主要為：「酒者，所以養老也，所以養病也」[49]。基於「酒」養老、養病的作用，於服喪期間「不止酒肉」[50]。對於飲酒、食肉的注意事項，《禮記》〈曲禮上〉更曾提及子女於父母生病時仍可以「食肉不至變味，飲酒不至變貌」[51]。先秦飲食原則中，酒、肉似乎有許多正面養身的作用。此外，參考張明娜的研究成果來看：

> 先秦齋戒時似乎沒有明文規定不能飲酒，但飲用的酒類與平常不同。《國語》〈周語上〉云：「先時五日，瞽告有協風至，王即齋宮，百官御事，各即其齋三日。王乃淳濯饗醴。」韋昭註云：「沐浴飲醴酒也。」國君在春日勸農籍田之前於齋宮之內齋戒，此時沐浴，並飲用醴酒。[52]

顯然於先秦時代，君王齋戒時是可以飲酒的。齋戒時以「醴」代替「酒」更符合「齊必變食」的原則。

有關於「魚」、「肉」，本段中提示出的「肉」的食用量相當多，而

---

48 《四書章句集注》，頁163。

49 《禮記》〈射義〉，見《禮記正義（十三經注疏）》，頁1930。

50 《禮記》〈喪服四制〉，見《禮記今註今譯》，頁1099。

51 《禮記今註今譯》，頁35。

52 張明娜：《先秦齋戒禮之研究》，臺灣大學中文系博士論文，2000年，頁177。

以不過量為原則。魚屬於肉類之一，於春秋時代一般庶民生活難以取得肉食，更難有「餒多」的情況。但是反觀君王的飲食，《周禮》〈天官〉:「王日一舉，鼎十有二物，皆有俎。……王齊，日三舉。」[53]君王平日飲食量為一舉，齋戒時則增為「三舉」，針對此一改變，鄭司農云:「齊必變食」[54]。「一舉」的內容，鄭玄注曰:「庖鼎十有二，牢鼎九，陪鼎三，『物』，謂牢鼎之實，亦九俎。」[55]其中「牢鼎」的內容物，依據孔穎達的說法牢鼎的內容物有:「牛、羊、豕、魚、腊、腸胃同鼎，膚、鮮魚、鮮腊。」[56]可見君王於齋戒時的飲食包括「魚」、「肉」、「酒」。再參照「不撤薑食」一語，可知本段內容雖不符合一般庶民的飲食生活原則，但卻與君王的飲食原則相符。並關本段的前一段「齊，必有明衣，布。齊必變食，居必遷坐。」[57]論及齋戒，而本段最後一句「不撤薑食」有協助與鬼神溝通的作用，需要與鬼神溝通的場合主要是祭祀，故筆者以為從江聲、邢昺之說以《論語》〈鄉黨〉〈10．8〉一段為齋戒時的飲食原則較為合適。雖先秦古籍未詳述各貴族階層的齋戒飲食，但由前文討論來看，《論語》〈鄉黨〉〈10．8〉至少與君王齋戒飲食原則不謀而合。《論語》〈鄉黨〉〈10．8〉一段應為《論語》〈鄉黨〉〈10．7〉「齊必變食、居」中關於「變食」部分的說明。

至於「居」的部分，《禮記》〈祭義〉:

> 致齊於內，散齊於外。齊之日，思其居處，思其笑語，思其志意，思其所樂，思其所嗜。齊三日，乃見其所為齊者。[58]

53 《周禮注疏（十三經注疏）》，頁96-98。

54 《周禮注疏（十三經注疏）》，頁98。

55 《周禮注疏（十三經注疏）》，頁96。

56 《周禮注疏（十三經注疏）》，頁97。

57 《論語》〈鄉黨〉〈10．7〉

58 《禮記正義（十三經注疏）》，頁1529-1530。

大型齋戒之前的齋戒準備，大概有一個固定的標準程序：包括「散齊七日」、「致齊三日」[59]。雖孫希旦解：「致齊於內，專其內之所思也。散齊於外，防其外之所感也。」[60]但是《禮記》〈檀弓上〉：

> 是故君子非有大故，不宿於外，非致齊也，非疾也，不晝夜居於內。[61]

可見齋戒時必須改變平日居所，不住在平日所居的臥房，「內」、「外」當指居處。所以〈鄉黨〉對於齋戒的說明「齊必變食、居」，除「食」以外還強調了「居」。至於「必遷坐」的具體內容，當為〈鄉黨〉篇後文所記的「席不正，不坐。」[62]

由〈鄉黨〉可知，《論語》所記「齊」的原則大致可分四項：改變衣著、改變飲食習慣、改變居處、改變坐儀。齋戒時利用與平常生活不同的飲食、起居習慣，以求潔淨身心，[63]並輔助達致精神的專注，為即將舉行的祭禮進行身心兩面的準備，見《禮記》〈祭統〉：

> 及時將祭，君子乃齊。齊之為言齊也，齊不齊以致齊者也。是以君子非有大事也，非有恭敬也，則不齊。不齊則於物無防

59 《古禮今談》，頁217。

60 《禮記集解》，頁1208。

61 《禮記正義（十三經注疏）》，頁237。

62 《論語》〈鄉黨〉〈10．12〉。據程樹德的考證，《史記》〈孔子世家〉、《墨子》〈非儒〉、《韓詩外傳》、《新序》、《說文解字》五書中，「席不正，不坐」具與「割不正，不食」相儷。（詳見《論語集釋》，頁702。）由筆者於前文的論述可知，「割不正，不食」一段應是講述齋戒時的飲食生活習慣等，故「席不正，不坐」一語若與之相儷，當也是描述孔子齋戒飲食起居之節，及「必遷坐」的具體內容。

63 「齋戒之所以在古禮中占有一席之地，乃因『齋戒以事鬼神』的概念，在事鬼神之前，必先透過『齋戒』，俾使身心內外臻於潔淨，然後才能進行各種重要禮儀。」見張明娳：《先秦齋戒禮之研究》，頁2。

> 也，嗜欲無止也。及其將齊也，防其邪物，訖其嗜欲，耳不聽樂，故記曰：「齊者不樂」，言不敢散其志也。心不苟慮，必依於道。手足不苟動，必依於禮。是故君子之齊也，專致其精明之德也，故散齊七日以定之，致齊三日以齊之。定之之謂齊。齊者，精明之至也，然後可以交於神明也。[64]

祭禮的主要目的之一便是與鬼神溝通，齋戒因此是祭禮前不可或缺的必要前置作業。由上引文可知，齋戒只是整齊身心的意思。齋戒透過事前的改變常習，穩定心志，以達成使人更容易與神明溝通之效果，引導即將參與祭禮者可以順利舉行祭祀活動。齋戒與祭祀兩者直接相關，齋戒最重要的目的無他，便是為了將臨的祭禮，齋戒是與祭者為了後來的祭禮而行。孔子對於齋戒的重視無非是因為孔子對於隨後將舉行的祭祀的重視而來，為求祭禮的順利進行，事前的準備工作也必須謹慎行事。齋戒在孔子三慎中，順序上排第一，「表示孔子對鬼神的誠敬態度，已經成為他的生活特色了。若無信仰，何能如此？」[65] 孔子對於「齊」與「祭」的重視儼然成為《論語》的重要特色之一，緊接著筆者將藉由分析孔子對於參與祭禮的態度與原則，並探究孔子對於祭祀的觀點。

第三節　參與祭禮所應抱持的態度

一　祭禮展現生死一貫的情感延續

由前文論述可知，祭禮的主要功能是作為活在現世的生者與已故

---

64 《禮記正義（十三經注疏）》，頁1574-1575。

65 《傅佩榮解讀論語》，頁164。

死者即鬼神之間的溝通管道，同時更是「慎終追遠」[66]的具體表現，《論語》〈堯曰〉中亦記載「祭」是古代社會生活中所重視的環節之一。[67]本章第一節中整理《論語》中祭禮對象，多屬人鬼及祖先神，更可由「生，事之以禮；死，葬之以禮，祭之以禮。」[68]一段得知喪禮與祭禮在《論語》中的定位，喪祭之禮可以說是現世子孫與已故的父母、祖先溝通的一貫系統。林素英認為：「對人鬼的祭祀，為生者與死者聯繫，並經由祭禮的儀式，而肯定生命薪盡火傳的意義。」。[69]「神」又可仔細區分成「自然神」與「祖先神」。「祖先神」是由祖先死亡之後化成，[70]故《國語》〈周語下〉：「言孝必及神」。[71]孔子曾盛讚禹能夠「致孝乎鬼神」[72]，又說依禮安葬、祭祀父母是孝的條件之一，[73]可見孔子認為現世的人與亡故先人之間仍應存在連繫，這種連繫就構成生者對於先人由其生時至死後一貫的「孝」，而這種孝行必須透過生前善事父母、父母死時依禮舉行喪葬、死後持續祭祀父母，連繫現在、過去，並且直到未來。[74]

---

66 《論語》〈學而〉〈1·9〉

67 《論語》〈堯曰〉〈20·1〉：「所重：民、食、喪、祭。」

68 《論語》〈為政〉〈2·5〉

69 林素英：《古代生命禮儀中的生死觀：以《禮記》為主的現代詮釋》，頁181。

70 於後文將從鬼神的結構詳細解釋人如何直接與鬼神關聯，分析鬼神為何可以指「死者」。

71 《國語》，頁46。

72 《論語》〈泰伯〉〈8·21〉

73 《論語》〈為政〉〈2·5〉

74 加藤常賢考察中國古代祭祀時指出：「不應以倫理的『孝』來談葬、祭在起源，它們的起源是宗教的。孔子將宗教起源的葬、祭與『孝』的倫理結合。當然，雖然這是對於『大夫』的回答，但仍需要受到注意。為什麼延長到葬、祭來探討『孝』？在古代的思想中，死後靈魂升到天上，祭祀時靈魂下降回來接受祭祀。祭祀的斷絕意味著封建之家的斷絕。在古代以『族』為中心，到封建以後則以『家』為中心。不承接祭祀意味著『家』的斷絕。由此才出現『不孝有三，無後為大』(《孟子》〈離婁上〉)之語。」(加藤常賢：《中國古代倫理學の發達》，頁103。)祖先祭祀以死去的親屬為祭祀對象，活在現世的生者透過祭祀與代表過去的祖先溝通，這種祭禮是一種超越死亡限制的與亡故親屬、祖先的連繫，將親子關係的視野拓展到父母死亡以後，展現出親子情感聯繫的生死一貫。林素英認為：

> 由於參與宗廟祭祀，而能夠突破時空的侷限，與古來的先祖作精神的感通，更能體認生命的意義，就在於這生生不息的每一個體，這條生命的長流不但能傳諸悠遠，更能流之淵深。[75]

祭禮不僅是親子思慕之情的延續，亦是與祖先之間的精神感通，同時還是對於先人孝行的延續。見《禮記》〈祭統〉：

> 祭者，所以追養繼孝也。孝者，畜也，順於道，不逆於倫，是之謂畜。是故，孝子之事親也，有三道焉：生則養，沒則喪，喪畢則祭。養則觀其順也，喪則觀其哀也，祭則觀其敬而時也。盡此三道者，孝子之行也。[76]

《論語》中以生時的奉養、死時依禮安葬、死後依禮祭祀父母為孝的條件，[77]並以孝弟為仁之本。[78]《禮記》〈檀弓上〉中則於描述對於亡者的安頓中指出「之死而致死之，不仁而不可為也；之死而致生之，不知而不可為也。」[79]不應以為死者一了百了、徹底以對待死屍的方

祭祀活動隨著家族的繁衍將持續到未來。祭祀活動不僅是平面地展現家族之間思慕之情，還展現出血緣親屬間縱向的情感連繫。於時間軸上也是縱向的展開，連繫過去、現在、未來。

75 林素英：《古代生命禮儀中的生死觀：以《禮記》為主的現代詮釋》，頁27。

76 《禮記正義（十三經注疏）》，頁1571-1572。

77 《論語》〈為政〉〈2・5〉

78 《論語》〈學而〉〈1・2〉

79 《禮記正義（十三經注疏）》，頁265。

式對待亡故的親屬，也不應以對待生者的方式對待死者。對待死者的方式應該保有不捨與愛心，並且不應認為死者與活人一樣。父母生時以順服的態度侍奉父母，喪禮盡乎哀情，舉行祭禮則態度保持虔敬。維持親子思慕之情的死生一貫，然而應該愛情與理智之間保持中庸，以生前死後依禮侍奉父母的貫徹作為「孝」的條件。《禮記》〈祭統〉所述對待死者的態度與《論語》中參與祭祀的態度一致。

二　祭祀的基本原則

《論語》中「祭」出現於九個段落，除前文所說的「所重：民、食、喪、祭。」[80]與「生，事之以禮；死，葬之以禮，祭之以禮」[81]以外，本單元欲就《論語》中的祭祀原則進行說明。首先，參見〈為政〉:「非其鬼而祭之，諂也。」[82]在原始社會中，死人與活人並非絕對的隔離，死人能夠使活人得福或受禍。[83]春秋時代仍然繼承這樣的風俗，認為人可以透過祭祀的方式與死去的祖先或其餘鬼神溝通，從而獲得福佑。然而依照身分，祭祀對象各有不同。即便祭祀了自己所不應該祭祀的對象，也無法受到福佑。[84]同樣的祭祀原則也可見於

80 《論語》〈堯曰〉〈20・1〉

81 《論語》〈為政〉〈2・5〉

82 《論語》〈為政〉〈2・24〉

83 「對原始人來說，沒有不可逾越的深淵把死人與活人隔開。相反的，活人經常與死人接觸。死人能夠使活人得福或受禍，活人也可以給死人善待或惡報。」(〔法〕列維・布留爾著，丁由譯:《原始思維》，北京市：商務印書館，1981年，頁249。)先秦時代也存在著鬼神能夠福佑生者的想法，例如《易經》〈困卦〉九五〈象〉曰:「利用祭祀，受福也。」《周易》〈既濟〉九五:「東鄰殺牛，不如西鄰之禴祭，實受其福。」〈象〉曰:「東鄰殺牛，不如西鄰之時也。實受其福，吉大來也。」(朱熹:《周易本義》，頁228。)《左傳》〈成公五年〉:「祭余，余福女」(楊伯峻:《春秋左傳注》(下冊)，頁821。)等，皆顯示古人透過祭祀，希望可以獲得鬼神福佑的想法。

84 可以祭祀的人鬼不只包含祖先神，還有有功於民而被奉為祭祀對象者。「人鬼亦不

《左傳》,《左傳》〈僖十年〉:「神不歆非類，民不祀非族」[85]、《左傳》〈僖公三十一年〉:「鬼神非其族類，不歆其祀」[86]。由此可知，祭祀對象與人類皆有「族」與「類」的區分，人與祭祀對象有共屬的共同體，因為各個共同體之間有所區隔，祭祀對象不會歆享來自其餘共同體的祭祀，人跨越其所屬的共同體而去祭祀屬於其他共同體的祭祀對象是不會產生福佑效果的，故白川靜指出「為祭者與被祭者的關係是特定的」。[87]更可由「鬼」字的字源分析人與祭祀對象的關係，王祥齡於《中國古代崇祖敬天思想》中說：

> 從甲骨文推知，殷人鬼的觀念已相當發達，鬼從人身並且皆從生人遷化，然後發展到鬼字從「厶」(私)，乃生人與其「鬼」是一種類屬關係，並非眾人之共，故人各有其祖先之鬼。《論語・為政》:「非其鬼而祭之，諂也。」可見古人認為生人不當以他人之祖先作為自己之祖先而致祭；明乎此，便可瞭解鬼字從「厶」的意思了。[88]

盡為祖考也。〈祭法〉:『法施於民則祀之，以死勤事則祀之，以勞定國則祀之，能禦大災則祀之，能捍大患則祀之。』〈月令〉:『仲夏，命百縣雩祀百辟卿士有益於民者。』〈王制〉:『天子諸侯祭因國之在其地而無主後者。』此亦其鬼也。」(《論語集釋》，頁133。)

85 《春秋左傳注》(上冊)，頁334。

86 《春秋左傳注》(上冊)，頁487。

87 白川靜指出：「假若將氏族的起源性置於文字學上來探討的話，想必『氏』是祭祀的共同體，『族』是軍事的共同體；氏族的構成，似乎具有此兩方面的作用……古代的氏族是軍事的共同體，又是祭祀的共同體，祭祀的對象，是氏族神的祖先神，祖靈也，又被認為其氏族的保護靈——精靈等。精靈被視為自然神，大抵置於其祭祀體系之中，而祖靈則以祭祖形式祭之；祖靈僅由其所屬氏族的人們所祀而已。所謂的『神不歆非類』(左傳僖公十年)者，為祭者與被祭者的關係是特定的，在此意義上，神亦是屬於共同體。」白川静：《中国古代の文化》(東京：講談社学術文庫，1979年)，頁87-88。

88 王祥齡：《中國古代崇祖敬天思想》(臺北市：臺灣學生書局，1992年)，頁81-82。

基於人鬼的類屬關係，如果超出了「族」與「類」而祭祀不應該祭祀的對象，不僅沒有招來福佑的效果，更被《論語》認為是一種「諂媚」的行為。《論語》中可見的祭祀的基本原則就是：祭祀自己身分所對應的祭祀對象，祭祀自己所不應祭祀的對象則是諂媚求福的行為。此外，僭越本分祭祀不該祭祀的對象，還可見於〈八佾〉：「季氏旅於泰山。子謂冉有曰：『女弗能救與？』對曰：『不能。』子曰：『嗚呼，曾謂泰山不如林放乎？』」[89]僭禮的祭祀也受到孔子的指責，同時更違背「神不享非禮」[90]的祭祀原則。整理以上所述，《論語》中的祭祀基本原則有二：「非其鬼不祭」、「非禮不祭」。

三　《論語》所述參與祭祀應抱持的態度

舉行祭祀應該依照「非其鬼不祭」、「非禮不祭」的原則，祭祀自己所應該祭祀的對象，依照禮儀的規範舉行。但是禮的內涵並不僅止於外部的儀節，[91]前文已經說明，禮以心意情感為根本，禮儀所追求的外在形式與內在情感的兼具調和之理想。但不免有行禮者，甚至是部分上位者，行禮徒具形式而欠缺心意，所以「臨喪不哀」與「為禮不敬」[92]成為孔子觀察上位者行為的標準之一。

《論語》中顯示當時代禮逐漸淪於形式，一方面，禮的根本——即參與者的心意情感——隨之喪失；另一方面，禮的宗教本質喪失，

89 《論語》〈八佾〉〈3・6〉

90 《四書章句集注》，頁83。

91 禮不僅只是各種禮器、祭品與儀節的集合。孔子曾感嘆：「禮云禮云，玉帛云乎哉！樂云樂云，鐘鼓云乎哉！」《論語》〈陽貨〉〈17・11〉，而應該同時具備內在品質。「人而不仁，如禮何？人而不仁，如樂何？」《論語》〈八佾〉〈3・3〉基於「真誠面對內心情感要求」是「仁」的必要條件的觀點來看，禮必以仁為基，必以真誠心意情感為基。由此，禮重新獲得了具普遍性的基礎。

92 《論語》〈八佾〉〈3・26〉

人的定期祭祀，行禮如儀，但心中卻不信任何神祇或祖靈的臨在。[93]有鑒於以上兩個因素，《論語》為了避免禮流於形式並且找回行禮應有的心意情感基礎，所以談論喪禮與祭禮時特別重視行禮時應具的態度。《論語》所論舉行祭禮所應抱持的態度如下：

（一）祭如在。祭神如神在。子曰：「吾不與祭如不祭。」[94]

（二）雖疏食菜羹，必祭，必齊如也。[95]

（三）子張曰：「士見危致命，見得思義，祭思敬，喪思哀，其可已矣。」[96]

針對引文（一），歷來學者對「祭如在，祭神如神在」這一句的解釋，大多將之解釋為是與祭者透過想象鬼神的歆享以達到自身的滿足與安慰；[97]又或是說「如」字表明儒家雖不信鬼神，卻情願自己創造出鬼神來崇拜；[98]甚至認為這句話便指示了鬼神存在真實無償。[99]但是重觀整個段落，「祭如在，祭神如神在」一句並未標示說話者，《捫蝨新語》說：「《論語》中有因古語而為說者，如『祭如在』二句正是古語。」[100]本句恐是當時既有的成語，孔子因為有感於這個說法，所

93　《儒道天論發微》，頁114。

94　《論語》〈八佾〉〈3．12〉

95　《論語》〈鄉黨〉〈10．11〉

96　《論語》〈子張〉〈19．1〉

97　周何認為：「誠敬地想像著鬼神的歆享，自能領受到『如在其上，如在其左右』的滿足與安慰」。(《古禮今談》，頁212。)

98　詳見胡適：《中國哲學史大綱──古代哲學史》，頁140。

99　林素英認為：「孔子從未否認鬼神之存在，雖然視之不見、聽之不聞，宛然如不存在，然而由鬼神為德之盛，體物而不遺，且可以如在其上，如在其左右而言，則鬼神之為真實存在之『存有』又屬真實無償，因此孔子極注重祭祀之虔誠，更曾切實提出與神明交的感通之道。」(林素英：《古代生命禮儀中的生死觀：以《禮記》為主的現代詮釋》，頁185)

100　〔宋〕陳善：《捫蝨新語》，引自《論語集釋》，頁175。

以發表的個人的意見。讀者不妨將關注的重點轉移至下文孔子本人的發言，反而更能代表孔子本人的想法。「祭如在，祭神如神在。子曰：『吾不與祭如不祭。』」後半段句讀，歷代主要有兩種，朱熹從舊讀將這一句斷句為「吾不與祭，如不祭」，勞思光先生也依據這個斷句，並認為孔子不以為客觀上真有一「神」享祭。[101]若如此斷句，可能的解釋有兩種，一種是「我不參加祭祀（或使人攝祭），不如不要祭祀」，另一種是「我不參加祭祀（或使人攝祭），就好像沒有祭一樣」，這兩句解說上都甚為不通。另一種斷句方式如是「吾不與，祭如不祭」，《經讀考異》採之；韓愈亦於〈讀墨子〉中云：「孔子祭如在，譏祭如不祭者」洪氏注言：「祭如不祭，吾所不與。與，許也。」[102]筆者認為應以第二種斷句較為通順合理，顯示孔子不贊同「參加祭祀卻有如不祭祀的態度。」孔子於本段所欲闡發的應是關於參與祭祀的態度，而並未就鬼神存在與否直接發表意見。此段落先引用古語，孔子再藉以抒發意見。藉由反對那種「有如不祭祀的態度」，進而提出參與祭祀所應抱持的態度。

《論語》中明確指出的參與祭祀所應抱持的態度以「敬」為主。首先，孔子曾經批評不具內在情感品質的行為：「居上不寬，為禮不敬，臨喪不哀，吾何以觀之哉？」[103]此外，孔子在討論禮的根本道理時說，以真誠心意為主：「禮，與其奢也，寧儉；喪，與其易也，寧戚。」[104]筆者認為，孔子之所以重視「齊」，是由於參與者透過體驗齋戒活動，容易體會到鬼神的情狀。藉由齋戒活動，使參與祭祀者可以更容易與祭祀對象接觸，經過齋戒達到「於是諭其志意，以其恍惚以與神明交，庶或饗之」(《禮記》〈祭義〉)[105]的效果。古人以為確實

101 勞思光：《新編中國哲學史（一）》（臺北市：三民書局，2010年），頁135。

102 韓愈：〈讀墨子〉，引自《論語集釋》，頁175。

103 《論語》〈八佾〉〈3・26〉

104 《論語》〈八佾〉〈3・4〉

105 《禮記正義（十三經注疏）》，頁1538。

進行齋戒以後，祭祀當天就彷彿能夠確實地感覺到祭祀對象的出現，見《禮記》〈祭義〉：

> 祭之日，入室，僾然必有見乎其位。周還出戶，肅然必有聞乎其容聲，出戶而聽，愾然必有聞乎其嘆息之聲。是故先王之孝也，色不忘乎目，聲不絕乎耳，心志嗜欲不忘乎心。致愛則存，致慤則著，著存不忘乎心，夫安得不敬乎？[106]

可見古人認為在祭祀當日，與祭者可以感覺到祭祀對象彷彿出現在身旁。《中庸》對祭祀情況的描述亦與此一致：

> 子曰：「鬼神之為德，其盛矣乎！視之而弗見，聽之而弗聞，體物而不可遺。使天下之人齊明盛服，以承祭祀，洋洋乎如在其上，如在其左右。《詩》曰：『神之格思，不可度思！矧可射思！』夫微之顯，誠之不可掩如此夫。」

祭祀對象並沒有具體可觀察的形體，但是祭祀對象的所行的作用卻是不能否定的，古人又將一些自然現象與不常見的現象皆稱為「神」並加以祭拜，《禮記》〈祭法〉：「山林、川谷、丘陵，能出雲為風雨，見怪物，皆曰神。」[107]雖不能直接談論祭祀對象的形狀，但一般人卻可以就其作用與感受來談論祭祀對象。感覺到祭祀對象彷彿出現在身邊，祭祀對象不僅是各種百神，還包含自己亡故的先人、父母，故參與祭祀者因為對於先人的思慕之情自然流露，彷彿感到先人出現在眼前。由於對於先人、父母的情感不因死亡斷絕，自然而然便油然而生虔誠敬畏之意。循此脈絡來看，孔子為何重視行禮之人的真實情感，

106 《禮記正義（十三經注疏）》，頁1530-1531。

107 《禮記正義（十三經注疏）》，頁1510。

要求行禮時又必須恭敬虔誠，避免缺乏真誠心意的態度的原因便更加清楚。強調參與祭禮必保持「敬」的態度，核心原因便是由於活在現世的人與祖先等祭祀對象並非斷絕、隔離的，用史華茲的說法，祭禮即是「客觀行為規範將人與鬼神凝聚在一起」[108]。不僅因為思慕之情的綿綿不絕，更是由於相信祭祀對象可以對人的生活有所影響，肯定其作用，所以必須小心謹慎、恭敬虔誠。一方面安頓祖先鬼神，同時撫慰生者的情感懸念，祭祀的基礎便是根植於親子思慕之情與相信祖先鬼神死而不絕的基礎上。此外更應避免「巧言令色」[109]，以及缺乏真誠心意、甚至詐偽的態度有礙人發覺內心的情感與道德訴求，更會使禮儀流於形式。

對於祭祀所應抱持的恭敬虔誠態度，更應該普遍運用於各種大小祭祀中。「雖疏食菜羹，必祭，必齊如也。」[110]，雖薄物必祭，更體現了祭祀「不忘本」[111]的用意。就算吃粗食，也一定要祭拜，並且保

108 史華茲（B. Schwartz）認為：「禮於具體層面表示所有客觀的行為規定，這些規定或者針對禮儀（rite）、儀式（ceremony）、儀態（manner），或一般行為舉止，在家庭、人類社會內，甚至在超自然的境遇中，都存在著由互動性的角色構成的網絡，正是在這些網絡中，這些客觀行為規範將人與鬼神凝聚在一起……正確的祭祖儀式與對待活著的家庭成員的恰當舉止之間，界限是模糊的。」（B. Schwartz: *The World of Thought in Ancient China*, MA: Harvard University Press, 1985, p.67.）人類與祭祀對象在祭禮中構成互動性的網絡，《論語》〈為政〉〈2．24〉：「子曰：『非其鬼而祭之，諂也。見義不為，無勇也。』」人不僅能夠諂媚活人，還能諂媚鬼神（死者），古人相信可以藉由祭祀諂媚鬼神。這一段話應是基於時人相信鬼神可以影響人類的生活，並且會對於祭祀獻饗有所反應。顯示祭禮是一種人神之間互動性的溝通關係網絡，而非相互隔絕。

109 《論語》〈學而〉〈1．3〉

110 《論語》〈鄉黨〉〈10．11〉

111 劉寶楠認為：「『昔者先王未有火化，食草木之實、鳥獸之肉，飲其血，茹其毛。後聖有作，然後修火之利，范金合土，以炮以燔，以亨以炙，以為醴酪，以養生送死，以事鬼神上帝，皆從其朔。』此皆所以報功，不忘本也。」（《論語正義》，頁416。）

持莊重嚴敬。[112]朱注云：「古人飲食，每種各出少許，置之豆間之地，以祭先代始為飲食之人，不忘本也……孔子雖薄物必祭，其祭必敬，聖人之誠也。」[113]祭祀鬼神以內心真誠心意為主，態度保持恭敬前程，配合祭品以表明祭者的心意，祭品雖薄，但具備內心的誠意。備妥所需的祭祀用品，抱持恭敬虔誠的態度進行。[114]凡是可奉獻的祭品，全部陳列出來，表示竭盡物質，外在竭盡物質，在內心又要竭盡恭敬虔誠，並合禮謹慎而行，薄禮亦可以獻祭於鬼神，故《禮記》〈祭統〉：「外則盡物，內則盡志，此祭之心也。」[115]《論語》〈鄉黨〉所表現的亦是相同的精神。反之，若不具備真誠的心意，徒具祭品也沒有作用。[116]

孔子論「祭禮」與「喪禮」的關心重點是相雷同的，[117]兩者皆同

112 祭祀時應保持「齊」的態度之說亦屢見於《禮記》，「齊齊」意指動作整齊莊重，「言其敬容之齊一也」(《禮記集解》，頁1210。)

113 《四書章句集注》，頁163。

114 孔子批評子貢欲廢除告朔之禮所需的活羊，看似與「與其奢也，寧儉」的態度相反。但仔細考察，子貢欲除去活羊恐怕是因為認為供活羊之禮僅是一種非必要的形式，而忽略了祭品是與祭者心意的表現。「與其奢也，寧儉」所闡述的也並非是要求祭祀應該節省，而是主張不應該徒具鋪張的祭品與繁文縟節，卻忽略真誠心意。古代祭祀所追求的是參與祭祀者內在真誠的心意與外在適宜的祭品兼具，故《禮記》〈祭統〉云：「外則盡物，內則盡志，此祭之心也。」(《禮記正義（十三經注疏）》，頁1573。)

115 《禮記》〈祭統〉，見《禮記今註今譯》，頁843。類似的說法也出現於《易經》，而《易經》所強調的是祭祀時應該謹慎行事。《易經》〈繫辭傳上〉：「初六，藉用白茅，無咎。」子曰：「苟錯諸地而可矣，藉之用茅，何咎之有？慎之至也。夫茅之為物薄而用可重也，慎斯術也以往，其無所失矣！」(朱熹：《周易本義》，頁241。

116 《左傳》〈隱公三年〉：「信不由中，質無益也。明恕而行，要之以禮，雖無有質，誰能間之？苟有明信，澗、溪、沼、沚之毛，蘋、蘩、薀、藻之菜，筐、筥、錡、釜之器，潢、汙、行、潦之水，可薦於鬼神，可羞於王公，而況君子結二國之信，行之以禮，又焉用質？」(《春秋左傳注》(上冊)，頁27-28)

117 由於「喪禮」所根源的內心情感以哀情為主，較為深刻的哀情容易使人的外在行為表現激烈傷身，所以特別重視禮的節制與修飾功能。《論語》對於祭禮雖然為直接

時重視內在真誠的心意情感與外在儀節的實踐，實現外在形式與內在情感的兼具調和之理想，即是孔子對於「禮」的基本立場。回顧「祭如在。祭神如神在。子曰：『吾不與，祭如不祭。』」[118]一文，「祭如不祭」的態度就是未能兼具外在形式與內在情感的失敗。[119]雖然親身參與祭祀、行禮如儀，但卻欠缺行禮應有的嚴肅認真與恭敬虔誠的態度。除了強調祭祀應抱持恭敬虔誠的態度，孔子同時也未曾否定過祭祀對象的存在。[120]前半段未涉及鬼神存在與否的問題，而是說明祭祀時應抱持著有如受祭者真的臨在的謹慎虔誠態度。胡適先生認為儒家雖不深信鬼神，卻情願自己造出鬼神來崇拜，這個「如」字寫盡宗教的心理學。[121]然而鬼神信仰在中國古代存在已久，且《論語》中孔子亦未曾排拒當時的鬼神信仰現況，反而予以尊重。[122]「禮」從「示」，究其本意似乎曾指宗教儀式，當禮展現為神聖的「具體行動」時，容易與其所擁有的意義與品質分離，喪失其神聖性，[123]只剩下空泛的形式，這正是孔子所憂慮的。傅佩榮認為：

說明祭祀時的禮儀節度，但是「禮之用，和為貴。先王之道斯為美，小大由之。有所不行，知和而和，不以禮節之，亦不可行也。」(《論語》〈學而〉〈1・12〉)、子夏問曰：「『巧笑倩兮，美目盼兮，素以為絢兮。』何謂也？」子曰：「繪事後素。」曰：「禮後乎？」子曰：「起予者商也，始可與言《詩》已矣！」(《論語》〈八佾〉〈3・8〉)，禮的節制與修飾、審美功能是眾禮所共通的。人的內心情感自然鮮活，自成色彩，由原詩素粉為飾，《論語》以「禮」為「素」。詳見第三章註62。

118 《論語》〈八佾〉〈3・12〉

119 芬格萊特（H. Fingarett）區分出實踐禮儀過程中兩種相反類型的失敗，一種是缺乏對於禮的認識與技巧導致行禮笨拙；另一種是實踐禮儀表面上看似熟練靈巧，但缺乏嚴肅認真的意志與信守，導致禮顯得機械與乏味。(H. Fingarett: *Confucius: Secular as Sacred*, New York: Harper & Row, 1972, p.8.)「祭如不祭」的失敗當屬於後者。

120 《論語》〈八佾〉〈3・12〉

121 胡適：《中國哲學史大綱——古代哲學史》，頁140。

122 《論語》〈鄉黨〉〈10・14〉：「鄉人儺，朝服而立於阼階。」孔子雖然為參加儺祭，卻穿著正式服裝觀禮，顯示出對於古禮的尊重。

123 B. Schwartz: *The World of Thought in Ancient China*. MA: Harvard University Press, 1985, p.73.

> 禮的政治性與道德性雖然到周公時代才展現，但這絕不表示禮的原始宗教性被取代了。相反的，這只是禮的統合範疇隨時代需要所作的展示。我們由此可以避免以下兩種不必要的假設：一、禮的宗教性與禮的道德性、政治性之間，存在著某種對峙張力；二、春秋時代稱為「禮的世紀」，完全是因為禮的宗教性式微了。基於這種認識，思想史家云「一切古代文化之中，以中國文化之突破『最為溫和』與『最為保守』」，才可以站得住腳。禮的開展，顯然以宗教性為底基；正由於忽略、遺忘了這種宗教性，才造成「禮壞樂崩」的現象……禮的宗教性一旦喪失，餘下的具體儀節只能被統治者用來畏其臣民，使不踰法，而祭祀的真正價值也只是用來鞏固人民而已。如此，禮成為一種工具或手段，喪失原始意涵，只剩下外在的形式而已。這正是「禮壞樂崩」的困境，也正是孔子所深以為憂的。[124]

面對「為禮不敬」[125]的現象不斷發生，甚至出現諸侯冒用天子之禮表現勢力的困境[126]，禮的根本精神逐漸流失，孔子不否定古代的鬼神信仰與禮本具的宗教性意涵，並為了防止禮儀流於形式，強調祭祀、喪葬形式方面應合乎禮的規範，祭祀者內在態度必須虔誠恭敬，皆是對於古代禮儀的重建與鞏固，並未出現創造鬼神並加以崇拜的行為，胡適的說法顯然有待商榷。

徐復觀則認為祭祀對象以祖先為主是孝道的擴大，祭祀的虔誠是孝道的推擴，是將對父母之孝推於鬼神。且《論語》對於鬼神的態度是「闕疑」的態度，《論語》中祭祀的情形，完全表現孔子自己的誠

124 《儒道天論發微》，頁111-112。

125 《論語》〈八佾〉〈3．26〉

126 例如：「季氏八佾舞於庭」（《論語》〈八佾〉〈3．1〉）、「三家者以《雍》徹」（《論語》〈八佾〉〈3．2〉）。

敬仁愛之德。不忍否定一般人所承認的鬼神之存在，目的只在盡一己之德，並無所求於鬼神，祭祀澄汰純化人從以自己為中心的自私之念，「從原始宗教的迷妄自私中，脫化淨盡以後的最高級地宗教性地祭祀」[127]。徐氏的說法恐怕與孔子「知之為知之，不知為不知，是知也」[128]的態度不符，一方面強調祭祀的誠敬，同時又對作為祭祀對象的鬼神之存在存疑，彷彿祭祀時只是單方面的演習各項儀節，擺出恭敬虔誠的姿態，卻對祭祀對象的存否抱持懷疑，那麼祭禮顯然是流於一種「靈巧卻機械」[129]的儀式，只是為了展現個人「誠敬仁愛」而依照成例敷衍了事。又況祭祀祖先的行為包含子孫對於祖先的思慕懷念之情，「祭者，所以追養繼孝也」(《禮記》〈祭統〉)[130]、「生，事之以禮；死，葬之以禮，祭之以禮。」[131]「孝」包括父母由生時至死亡以後不間斷的依禮侍奉，而禮又以心意情感為根本，徐氏的說法不免忽略了人與鬼神之間的情感聯繫，才會以為祭禮是從自私之念、透過祭祀而獲得「純化」云云。

《論語》重視人由生至死的安頓處置，並強調對死者祭祀時的恭敬虔誠態度，從對於父母由生至死的合禮侍奉，貫通過去、現在，乃至未來的一貫，並指出「慎終追遠」可以達到使社會風氣漸趨淳厚的作用。[132]「慎終」的喪禮與「追遠」的祭祀，其根本都奠基於現世人類對於死者的真誠心意情感，由於內心情感需求而設。由於「真誠面

---

127 徐復觀：《中國人性論史・先秦篇》，頁82-83。

128 《論語》〈為政〉〈2・17〉

129 詳見H. Fingarett: *Confucius: Secular as Sacred*, New York: Harper & Row, 1972, p.8。徐氏的說法近於芬格萊特所說的第二種實踐禮儀過程中的失敗。看似靈巧熟練地實踐儀節，卻對於祭祀對象存疑，只為求個人之德的表現，卻缺乏對於祭祀對象的嚴肅認真與信守。

130 《禮記正義（十三經注疏）》，頁1571。

131 《論語》〈為政〉〈2・5〉

132 《論語》〈學而〉〈1・9〉

對內心情感要求」是「仁」的必要條件，「孝弟也者，其為仁之本與！」[133]，所以「慎終追遠」可說是行仁的契機，所以「慎終追遠，民德歸厚矣」[134]並不難理解。基於對祖先鬼神的思慕之情不因為死亡而斷絕，所以祭祀中應持恭敬虔誠的態度，就像父母生時一般。然而，孔子主張「知之為知之，不知為不知，是知也」[135]、「蓋有不知而作之者，我無是也。」[136]若祭祀時態度恭敬虔誠，卻又對祭祀對象的存否存疑，顯然不符合孔子對「知」的觀點。如此一來，作為祭祀對象的鬼神之存在與否就更顯得重要了。關於《論語》中的鬼神觀，將於下一章再行討論。

第四節　小結

本章首先對祭祀對象的分類進行討論，將祭祀對象初步區分為「天神」、「地祇」、「人鬼」三類，並且發現三類別之間並非全無關聯，人鬼可以轉變為天神、地示，可以轉變為自然神。自然神不盡然就是自然本身，經常是由人鬼轉化而成。緊接著分析《論語》中的各類祭祀對象發覺，《論語》書中所明確記載的祭祀對象多為人鬼及祖先神，並以「鬼」、「神」、「鬼神」三詞交替指稱之，三詞可以互換、交替使用。「人」與「鬼神」相對，「人」關聯於「生」，「鬼神」關聯於「死」。本文界定討論對象以人鬼及祖先神為主，以祖先祭祀為討論主軸。

緊接著考察《論語》中所論祭祀的準備作業——「齊」。由〈鄉黨〉可知，《論語》所記「齊」的原則大致可分四項：改變衣著、改

133 《論語》〈學而〉〈1．2〉
134 《論語》〈學而〉〈1．9〉
135 《論語》〈為政〉〈2．17〉
136 《論語》〈為政〉〈2．17〉

變飲食習慣、改變居處、改變坐儀。齋戒透過事前改變食居等，改變常息準備穩定心志，以完成使人更容易與神明溝通之效果，引導即將參與祭禮者可以順利舉行祭祀活動。孔子對於齋戒的重視列於孔子三慎之首，顯然謹慎齋戒以準備祭祀活動已成為孔子生活的特色之一。

孔子生活慎行齋戒以行祭禮，對於參與祭禮所應抱持的態度也多所堅持。先就祭禮活動本身的意義而論，本文以祖先祭祀為主軸，祭禮展現生死一貫的情感延續。子女不因為父母、祖先去世便以為死者已經隨著身體的死亡一了百了。《論語》的「孝」更以生前、死時、死後以禮侍奉父母為基本條件，貫通過去、現在、未來的時間。祭祀除緬懷先人、一解子女思慕父母之情外，更因為古人相信鬼神能夠授福於活人，所以活人同時可以藉由祭祀鬼神獲得福佑。於是不免有人為了求福，便祭祀諂媚不應祭祀的鬼神。於是《論語》就清楚說明了祭祀的基本原則是：「非其鬼不祭」、「非禮不祭」。祭祀不應祭祀的鬼神、非禮或僭越的祭祀將不受到鬼神的福佑。而正確的祭祀應該以恭敬虔誠為心，祭祀自己所應祭祀的對象並且恭敬虔誠，《論語》記載孔子反對那種「有如不祭祀的態度」。古人相信由於祭祀前經過齋戒的準備，進行齋戒時可以感覺到彷彿祭祀對象就出現在身邊，由於對於先人、父母的情感不因死亡斷絕，自然而然便油然而生虔誠敬畏之意。人與鬼神之間是互動、可交流的，而非斷絕隔離的。生者秉持內心真誠的心意情感，由具體禮儀表現合宜的情感，並配合適當的祭品祭祀鬼神，實現外在形式與內在情感的兼具調和之理想，即是孔子對於「禮」的基本立場。

《論語》討論祭祀時，未曾質疑祭祀對象的存在與否，並且要求祭祀時的恭敬虔誠。且孔子主張「知之為知之，不知為不知，是知也」[137]、「蓋有不知而作之者，我無是也。」[138]若一方面強調祭祀應

137《論語》〈為政〉〈2・17〉

恭敬虔誠，同時又認為鬼神可能並不存在，那麼實踐祭禮便流於一種依照舊例的虛應故事。於是《論語》對於對象的鬼神本身的看法就變得非常重要。《論語》重視子女對父母由生至死的依禮事奉，其背後所根據的生命觀是研究《論語》中的喪禮、祭禮時所不能忽略的。本文已經討論《論語》中對於喪禮與祭禮的觀點，緊接著便要對於《論語》中的鬼神觀進行討論，對喪禮、祭禮背後的基礎進行詳查。

138《論語》〈為政〉〈2・17〉

第五章
《論語》中的鬼神觀

前文已經針對《論語》中的喪禮與祭禮進行討論，發覺喪禮與祭禮必以相信施行對象之存在為前提，再加以內在的真誠心意情感與外的禮儀以彰顯心情，這才能夠符合於「知之為知之，不知為不知，是知也」[1]、「蓋有不知而作之者，我無是也。」[2]的主張。若有不信其對象之存在而實踐禮儀者，便只是一種虛應故事的態度，禮儀也只能流於一系列儀式過程或推廣教化的工具。更甚者則可能以為祭禮與喪禮只是為滿足行禮者個人自私之念，或以為只是藉禮以慰藉生者。不僅忽略了古代鬼神信仰的背景，更不能回應人的道德情感需求，使禮被解釋為一種虛偽的作為。本章將對於《論語》中的喪禮與祭禮背後所具的生命觀基礎進行探討，考察《論語》究竟是立足於什麼樣的人類生命觀點來進行祭禮與喪禮。第一節首先對於「鬼神」二字於《論語》中的意義進行辨析，於第二節將參考《禮記》、《左傳》等經典考察鬼神的構造，並附「魂魄」的意義考察。緊接於第三節著探討《論語》所載的「鬼神」用例，最後配合前文對《論語》中的喪禮與祭禮之考察成果，說明喪祭之禮其實是建立在一套人死而不絕、[3]並且可以連接過去、現在、未來的完整生命觀上，對於作為《論語》一書生命觀基礎的鬼神觀進行探究。

1　《論語》〈為政〉〈2・17〉

2　《論語》〈述而〉〈7・28〉

3　本文所說的「死而不絕」意義與鄭志明所說的不同。鄭氏所說的「死而不絕」是描述子女們在喪祭之禮中不斷傳達不敢忘親的追養繼孝之情，肯定精神相互感通的永續生命。（詳見鄭志明：《中國殯葬禮儀學新論》，頁54-55）本文的「死而不絕」用以描述人的生命觀。人死亡以後，仍以異於生前的其他形式存續，並不因死亡而滅絕。

第一節　《論語》中「鬼神」的意義

一　研究範圍與材料揀選

本節將探究《論語》中「鬼神」的意義。「鬼神」一詞於《論語》中共見於三個段落[4]；「鬼」字獨立成詞出現於兩個段落；[5]「神」字獨立成詞或作「神祇」則出現於三個段落。[6]《論語》中記載「神」、「鬼」、「鬼神」的段落如下：

（一）子曰：「非其鬼而祭之，諂也。見義不為，無勇也。」[7]

（二）祭如在，祭神如神在。子曰：「吾不與祭如不祭。」[8]

（三）樊遲問知。子曰：「務民之義，敬鬼神而遠之，可謂知矣。」[9]

（四）子不語：怪、力、亂、神。[10]

（五）子疾病，子路請禱。子曰：「有諸？」子路對曰：「有之。《誄》曰：『禱爾于上下神祇。』」子曰：「丘之禱久矣。」[11]

（六）子曰：「禹，吾無間然矣。菲飲食而致孝乎鬼神，惡衣服而致美乎黻冕，卑宮室，而盡力乎溝洫。禹，吾無間然矣。」[12]

---

4 《論語》〈雍也〉〈6・22〉、《論語》〈泰伯〉〈8・21〉、《論語》〈先進〉〈11・12〉

5 《論語》〈為政〉〈2・24〉、《論語》〈先進〉〈11・12〉

6 《論語》〈八佾〉〈3・12〉、《論語》〈述而〉〈7・21、35〉。《論語》〈八佾〉〈3・12〉、《論語》〈述而〉〈7・21〉中「神」字獨立成詞，《論語》〈述而〉〈7・35〉中作「神祇」。

7 《論語》〈為政〉〈2・24〉

8 《論語》〈八佾〉〈3・12〉

9 《論語》〈雍也〉〈6・22〉

10 《論語》〈述而〉〈7・21〉

11 《論語》〈述而〉〈7・35〉

12 《論語》〈泰伯〉〈8・21〉

季路問事鬼神。子曰:「未能事人,焉能事鬼?」[13]

前章已說明引文(一)乃是關於祭祀原則,而引文(二)則是關於參與祭祀應抱持的態度。

由以上引文得知,雖然《論語》並未對「鬼神」、「鬼」、「神」(或「神祇」)的意義進行解釋,但是讀者不能直接斷言「鬼神」概念不重要所以孔子或弟子並未對其加以說明。「鬼神」、「鬼」、「神」(或「神祇」)屢出現於古代典籍,筆者認為於當時「鬼神」、「鬼」、「神」(或「神祇」)的基本意義是眾人所知悉的「常識」,所以《論語》中並未特別進行說明。雖然當時一般人對於「鬼神」等詞有相似的理解,但是「鬼神」等詞經過長時間的使用不免經歷字義上的變革,以至於影響使用者對所指對象的態度。因此,當時古人對於「鬼神」的態度存在分歧,同時對於「鬼神」一詞意涵的理解也具有差異。筆者以為孔子可能有鑒於此,所以企圖站在一般人所認識的「鬼神」意義上,重整對於「鬼神」、「鬼」、「神」(或「神祇」)所應持的態度。「鬼神」等詞的始源或意義流變並非本文欲處理的問題,筆者將藉《左傳》、《禮記》等著作中,時人對於「鬼神」等詞的解釋,考察春秋時普遍人對「鬼神」等詞的意義所具之瞭解。

本文參考《左傳》、《禮記》等文獻考察「鬼神」等概念,但必須釐清《禮記》、《左傳》等文獻中記載的對話內容可能部分是文獻作者對當時情境的「重建」的結果,並不等於「事實」。雖不能斷言所載內容皆屬「事實」,但也不能簡單地斷言它們是古代作者伸張己見的工具。而處理與信仰相關的材料時,又應注意古人的宗教經驗與鬼神信仰對今人看似無稽,「但對古人而言卻是實際的生活經驗,而這經驗是一歷史事實,必須予以承認。」[14]考察古代「鬼神」等詞的意義

---

13 《論語》〈先進〉〈11.12〉

14 蒲慕州:《追尋一己之福:中國古代的信仰世界》,頁63-64、87。

時雖可能與今人的常識出現衝突，但筆者的主要目的在於探討《論語》中「鬼神」等詞的使用，故希望能融入古代典籍的生存環境，而避免直接以今人的眼光造成對於古人智慧的抹殺。

二　《論語》中的「鬼神」意義考釋

前文已經論述古代祭祀對象可以初步區分為「天神」、「地祇」、「人鬼」三類。「人鬼」是人死後所轉化而成，此外「天神」、「地祇」經常源自「人鬼」，「鬼」與「神」沒有截然不可破的分界。人死稱「鬼」的用法直接的證據是《禮記》〈祭法〉：「大凡生於天地間者皆曰命，其萬物死皆曰折，人死曰鬼。」[15]生存於天地之間有生命者皆稱為「命」，萬物死亡稱為「折」，人死後則稱為「鬼」，這一切的名稱歷經五代[16]皆未曾改變。「鬼」是相對於「人」的存在，生時稱「人」，死後則稱為「鬼」。「未能事人，焉能事鬼？」[17]《論語》中「鬼」與「人」並舉，「鬼」表示死人的意義昭然若揭。

至於「神」的意義，「神」的第一種常見的意義是指「自然神」，《禮記》〈祭法〉云：

> 燔柴於泰壇，祭天也。瘞埋於泰折，祭地也。用騂犢。埋少牢於泰昭，祭時也。相近於坎、壇，祭寒暑也。王宮，祭日也。夜明，祭月也。幽宗，祭星也。雩宗，祭水旱也。四坎、壇，祭四時也。山林、川谷、丘陵，能出雲，為風雨，見怪物，皆曰神。有天下者祭百神。諸侯在其地則祭之，亡其地則不祭。[18]

---

15 《禮記正義（十三經注疏）》，頁1514。

16 鄭玄：「五代，謂黃帝、堯、舜、禹、湯、周之禮樂所存法也。」（《禮記正義》，頁1514。）

17 《論語》〈先進〉〈11．12〉

18 《禮記正義（十三經注疏）》，頁1509-1510。

「神」所指的對象有部分是日月星辰、山川丘陵等，因為能夠產生風雨、造成不尋常的怪異現象，古人皆以其為神，屬於自然神。除了以自然本身為神的說法以外，還有《國語》〈魯語下〉、《左傳》〈昭公元年〉所記載，[19]以自然神源自現世人物的說法，人鬼可以轉變為天神、地示，可以轉變為自然神。[20]可見「神」還有第二種意義指「有功於民的死者」。

《論語》中「鬼」的用法，「鬼」字獨立成詞的意義作「人死為鬼」，而以祖先神為主，其餘還旁及有功於民而被奉為祭祀對象者。「非其鬼而祭之，諂也。」[21]此例中的「鬼」，除作「祖先」以外，還包含與祭祀者屬於同樣共同體中的其餘「人鬼」。

《論語》中另一以「鬼」獨立成詞的用例中，同時出現「鬼神」一詞。「季路問事鬼神。子曰：『未能事人，焉能事鬼？』」[22]季路請教

---

19 《國語》〈魯語下〉：「客曰：『敢問誰守為神？』仲尼曰：『山川之靈，足以紀綱天下者，其守為神；社稷之守者，為公侯。皆屬于王者。』客曰：『防風何守也？』仲尼曰：『汪芒氏之君也，守封、嵎之山者也，為漆姓。在虞、夏、商為汪芒氏，于周為長狄，今為大人。』客曰：『人長之極幾何？』仲尼曰：『僬僥氏長三尺，短之至也。長者不過十之，數之極也。』」（《國語》，頁103-104。）《左傳》〈昭公元年〉：「晉侯有疾，鄭伯使公孫僑如晉聘，且問疾。叔向問焉，曰：「寡君之疾病，卜人曰『實沈、臺駘為祟』，史莫之知。敢問此何神也？」子產曰：「昔高辛氏有二子，伯曰閼伯，季曰實沈，居于曠林，不相能也，日尋干戈，以相征討。后帝不臧，遷閼伯于商丘，主辰。商人是因，故辰為商星。遷實沈于大夏，主參，唐人是因，以服事夏、商。其季世曰唐叔虞。當武王邑姜方震大叔，夢帝謂己：『余命而子曰虞，將與之唐，屬諸參，而蕃育其子孫。』及生，有文在其手曰虞，遂以命之。及成王滅唐，而封大叔焉，故參為晉星。由是觀之，則實沈，參神也。昔金天氏有裔子曰昧，為玄冥師，生允格、臺駘。臺駘能業其官，宣汾、洮，障大澤，以處大原。帝用嘉之，封諸汾川，沈、姒、蓐、黃實守其祀。今晉主汾而滅之矣。由是觀之，則臺駘，汾神也。抑此二者，不及君身。山川之神，則水旱癘疫之災於是乎禜之；日月星辰之神，則雪霜風雨之不時，於是乎禜之。」（楊伯峻：《春秋左傳注》（下冊），頁1217-1219。）

20 詳見蕭登福：《先秦兩漢冥界及神仙思想探原》，頁39。

21 《論語》〈為政〉〈2．24〉

22 《論語》〈先進〉〈11．12〉

如何事奉鬼神，問題中言「鬼神」，但是孔子的回答「未能事人，焉能事鬼」，孔子沒有以「事鬼神」答覆，而以「事鬼」一詞回應。從此問答中可知，至少於此問題脈絡中，「鬼」與「鬼神」表示同義，可以用「鬼神」二字，也可以單用「鬼」一個字，兩者多可相通。又筆者曾於前文說明，「人鬼」與「神」兩者沒有不可破的分界，「人鬼」可以為「神」，部分「神」來源自「人鬼」。「鬼」、「神」、「鬼神」三詞於春秋時代中顯然可以交互使用。但是於《論語》中，由於「神」獨立成詞出現時沒有與「鬼」、「鬼神」同時出現，故不能斷言《論語》中的「神」於使用上可以與「鬼」、「鬼神」互換。但至少能夠確定，「鬼」於《論語》中具有「祖先」、有功於民而被奉為祭祀對象的死者二義；「鬼神」則泛指各類百神以及人鬼；而「神」主要指各類神靈，基於春秋時代人鬼可以為神的用法，「神」應該也包含「鬼」的意義。

「神」在《論語》中還有其餘特殊意義。如「子不語：怪、力、亂、神。」[23]中，「神」不應釋成作為祭祀對象的「神」。「語」是討論答述的意思，[24]若說孔子不與人討論作為祭祀對象的「神」，則與《論語》實際記載不符，孔子屢次對學生對於鬼神的提問進行回答，這就是「討論答述」的行為。此處「神」應解為「神異不測」之義。「神異的事使人妄想」[25]，並且討論神異不測的事情不會有結果，所以孔子不與人討論答述。

統合前述，《論語》中「神」的意義目前為止可分為三種：「自然神」、「有功於民的死者」、「神異不測」。參考《左傳》、《國語》記載得知，春秋時代「鬼」與「神」之間，由於部分人鬼可以轉化為神，

---

23 《論語》〈述而〉〈7・21〉

24 黃氏《後案》：「《詩公劉傳》：『論難曰語』。」……此不語謂不與人辨詰」、皇《疏》：「發端曰言，答述曰語」（《論語集釋》，頁480-481。）

25 傅佩榮：《傅佩榮解讀論語》，頁172。

兩者間關係較為模糊沒有截然不可互通的區分。至於《禮記》對於「鬼神」又有更詳細的解釋，且「鬼」與「神」二者都被認為直接與人的死後有關，由鬼神的結構進行描述，說明「鬼」與「神」分指人死後除形軀以外所殘留的兩個部分，人死後可以轉化為「鬼神」（祖先神），產生一套人死後成為鬼神持續存續的生命觀，成為春秋時代乃至於《論語》中的喪禮、祭禮之基礎。

第二節 鬼神的構造

前述三種「神」的意義：「自然神」、「有功於民的死者」、「神異不測」似乎皆與一般人的死亡事件有相當的距離，無特別作為與功業的一般人看似與「神」扯不上關係。但周人認為人生而有魂魄，死而有鬼神，[26]見周世典籍可知，周人發展出魂魄說，用以解釋鬼神的構造。由此魂魄說，使鬼神直接與所有人類產生關聯，鬼神皆可由人所化。

《易經》〈繫辭上〉：

> 仰以觀於天文，俯以察於地理，是故知幽明之故；原始反終，故知死生之說；精氣為物，遊魂為變，是故知鬼神之情狀。[27]

《左傳》〈宣公十五年〉：

> 晉侯使趙同，獻狄俘于周，不敬，劉康公曰，不及十年，原叔必有大咎，天奪之魄矣。[28]

---

26 蕭登福：《先秦兩漢冥界及神仙思想探原》，頁9。

27 《周易本義》，頁237。

28 《春秋左傳注》（上冊），頁765。

《左傳》〈襄公二十九年〉：

> 天又除之，奪伯有魄，子西即世，將焉辟之？天禍鄭久矣，其必使子產息之，乃猶可以戾。不然，將亡矣。[29]

《左傳》〈昭公七年〉：

> 及子產適晉，趙景子問焉，曰：「伯有猶能為鬼乎？」子產曰：「能。人生始化曰魄，既生魄，陽曰魂。用物精多，則魂魄強，是以有精爽至於神明。匹夫匹婦強死，其魂魄猶能馮依於人，以為淫厲，況良霄，我先君穆公之胄，子良之孫，子耳之子，敝邑之卿，從政三世矣。鄭雖無腆，抑諺曰：『蕞爾國』，而三世執其政柄，其用物也弘矣，其取精也多矣，其族又大，所馮厚矣，而強死，能為鬼，不亦宜乎！」[30]

《左傳》〈昭公二十五年〉：

> 樂祁佐，退而告人曰：「今茲君與叔孫其皆死乎！吾聞之：『哀樂而樂哀，皆喪心也。』心之精爽，是謂魂魄。魂魄去之，何以能久？」[31]

《禮記》〈郊特牲〉：

---

29 《春秋左傳注》（下冊），頁1168。

30 《春秋左傳注》（下冊），頁1192。

31 《春秋左傳注》（下冊），頁1456。

> 魂氣歸于天，形魄歸于地，故祭求諸陰陽之義也。[32]

《禮記》〈祭義〉：

> 宰我曰：「吾聞鬼神之名，而不知其所謂。」子曰：「氣也者，神之盛也。魄也者，鬼之盛也。合鬼與神，教之至也。眾生必死，死必歸土，此之謂鬼。骨肉斃于下，陰為野土。其氣發揚于上，為昭明，焄蒿悽愴，此百物之精也，神之著也。因物之精，制為之極，明命鬼神，以為黔首則。百眾以畏，萬民以服。」[33]

《禮記》〈檀弓下〉：

> 孔子曰：「延陵季子，吳之習於禮者也。」往而觀其葬焉。其坎深不至於泉，其斂以時服，既葬而封，廣輪揜坎，其高可隱也。既封，左袒，右還其封且號者三，曰：「骨肉歸復于土，命也。若魂氣則無不之也，無不之也。」而遂行。孔子曰：「延陵季子之於禮也，其合矣乎。」[34]

《禮記》〈祭義〉對於鬼神、精、魂魄之間做出明確的說明。人死以後，首先因人、物之精，而尊之為至高無上的鬼神，作為百姓敬畏的對象，使人們懾服。「鬼神」即是對於「精」的尊稱。

氣是神的充盛之展現，魄是鬼的充盛之展現。《禮記》〈檀弓

---

32 《禮記正義（十三經注疏）》，頁953。

33 《禮記正義（十三經注疏）》，頁1545。孫希旦：「言聖人因人、物之精靈，制為尊極之稱，謂之鬼神，以為百姓之法則，而天下皆畏敬之也。」（《禮記集解》，頁1220）

34 《禮記正義（十三經注疏）》，頁365-366。

下〉:「若魂氣則無不之也，無不之也」，並未區分「魂」與「氣」，且魂氣與骨肉是可分離的，魂氣離開骨肉「無不之」的特性與《禮記》〈祭義〉中說「其氣發揚于上，為昭明，焄蒿，悽愴，此百物之精也，神之著也。」、《禮記》〈郊特牲〉:「魂氣歸于天，形魄歸于地」，可見「魂氣」與「神之著」的特性相互一致。由此推之，魄與鬼屬於一類，魂與神屬於一類。而《易經》〈繫辭上〉又說:「精氣為物，遊魂為變，是故知鬼神之情狀」、《管子》〈內業〉:「精也者，氣之精者也」並不細分「精」與「氣」，若「精」是「氣之精」，而「精」又被尊稱為「鬼神」，魄與鬼屬於一類，魂與神屬於一類，稱「魂」為「魂氣」也是可以理解的。[35]

然而「魂」與「魄」究竟是什麼？與「鬼神」之間的關係又為何？「鬼神」雖是於死後對於死者之「精」的尊稱，但與之同屬的「魂」與「魄」卻也出現在活人身上，並且魂魄與活人的知識能力有關，余英時則強調「魂魄是精神的絕對要素，是知識和智慧的源泉」[36]，例

35 參考蕭登福的見解:「朱熹以『氣』屬『魂』，以『精』屬『魄』；恐非先秦原義。《易經》說:『精氣為物』，並不細分『精』與『氣』;《管子》〈內業篇〉說:『精也者，氣之精者也。』又說:『天出其精，地出其形。』，如此則『精』屬於天，應為『魂』而非『魄』;『精』『氣』應為一類。」(蕭登福:《先秦兩漢冥界及神仙思想探原》，頁21。）然而對《易經》〈繫辭上〉:「精氣為物，遊魂為變」將精氣與遊魂分說，竹添光鴻卻認為「所謂精氣即魄也」(竹添光鴻:《左傳會箋》，出版地、出版者不詳，作者原序於1894年，卷21，頁64。）轉引自周國正:〈《左傳》「人生始化曰魄」辨〉,《臺大文史哲學報》第57期（2002年11月），頁215。(雖然由「精」來自天可以藉以推論「精」屬天，而「魂」的特質是「魂氣歸于天」與天有關，可以推知「精」與「魂」相關（《禮記》〈郊特牲〉)，但是卻不應該因此就直接將「魄」與「精」切割開來，不應主張兩者無關係或不同屬。且有鑒於「辟踊哭泣，哀以送之。送形而往，迎精而反也。」(《禮記》〈問喪〉）中「精」與「形」相對的用法，「魂」、「魄」皆可以離開「形」，死者親屬若要迎回死者死後離開形體而存續的某些東西，想必不會只迎回魂而讓魄獨自流落在外，況且魂魄分屬神鬼，須一起迎回成為子孫祭祀對象。故筆者認為「精」當包含「魂」、「魄」兩者。

36 余英時著；侯旭東等譯:〈魂歸來兮——論佛教傳入以前中國靈魂與來世觀念的轉變〉，收入《東漢生死觀》，頁171。

如《左傳》〈昭公二十五年〉:「吾聞之:『哀樂而樂哀,皆喪心也。』心之精爽,是謂魂魄。魂魄去之,何以能久」、《左傳》〈昭公七年〉:「人生始化曰魄,既生魄,陽曰魂。用物精多,則魂魄強,是以有精爽至於神明。」[37]又見《左傳》〈襄公二十九年〉[38]、《左傳》〈宣公十五年〉[39]可知,喪失魂魄會危及生人心智或造成性命損傷。《左傳》、《禮記》雖記載了「魂」、「魄」與「鬼」、「神」的關係,並述及「魂」、「魄」的某些特性,說明兩者與活人的識知能力有關,但是卻未對於魂魄究竟確實地在活人身上具有什麼功能作出更進一步的說明。然而《左傳正義》孔疏解釋昭公七年伯有為鬼一篇時,卻對於「魂」與「魄」的確實作用與功能進行詳細描述,並且說明「魂魄」與「鬼神」二組概念的關係:

> 人稟五常以生,感陰陽以靈。有身體之質,名之曰形。有噓吸之動,謂之為氣。形氣合而為用,知力以此而彊,故得成為人也。此將說淫厲,故遠本其初。人之生也,始變化為形,形之靈者,名之曰魄也。既生魄矣,魄內自有陽氣,氣之神者,名之曰魂也。魂魄神靈之名,本從形氣而有。形氣既殊,魂魄亦異。附形之靈為魄,附氣之神為魂也。附形之靈者,謂初生之

37 楊伯峻將「化」解作「澌滅」,但由「心之精爽,是謂魂魄。魂魄去之,何以能久」(《左傳》〈昭公二十五年〉)可知,人的行止識知失常,是心喪失正常作功能所致,而魂魄是心之精爽。「顯得失魂落魄,這個人恐怕命不久矣。可以清楚看到在當時人的認識之中,(魂)魄乃人生時所有,並非死後才形成。」(周國正:〈《左傳》「人生始化曰魄」辨〉,頁211-221。)若依照楊伯峻將「化」解作「澌滅」,則「人生始化曰魄」便要譯成「人生下來初死時叫做魄」,「生」字顯得難解不通。但若依照孔疏,將「化」解作「生成」,則可以合理解釋魄是人生時就有的。

38 楊伯峻:「《大戴禮》〈少閒篇〉:『若夏商者,天奪之魄,不生德焉。』則為人作惡,謂之天奪魄。此謂伯有將不得善終。」(楊伯峻:《春秋左傳注》(下冊),頁1168。)

39 見註28。

> 時，耳目心識，手足運動，啼呼為聲，此則魄之靈也。附氣之神者，謂精神性識，漸有所知，此則附氣之神也。是魄在於前，而魂在於後，故云「既生魄，陽曰魂」。魂魄雖俱是性靈，但魄識少而魂識多。……聖王緣生事死，制其祭祀。存亡既異，別為立名。改生之魂曰神，改生之魄曰鬼。[40]

由孔疏可以整理出與魂魄相關的兩個要點如下：

> (一)「魄」＝身體活動、感知活動之所以然，死後易名為「鬼」。
>
> (二)「魂」＝精神活動、知慮活動之所以然，死後易名為「神」。

古人認為先有魄後有魂。魄透過可見的形體直接展現為活人的身體活動；魂則是精神活動、知慮活動，較難直接察覺。魂所引起的精神活動作用需以身體活動與感知為基礎而來，並且精神活動也經常需要依靠身體活動才能展現為人所察。周國正認為「精神性識」即「自我」，「魂」構成「自我」，周氏詳述「魂」與「魄」的關係：

> 魂所代表的靈覺主體，理應具備某些性格、記憶方能構成「自我」(精神性識)，而這個「自我」，如果不是來自日常的耳目心識（魂）等感知思慮功能，又來自什麼？因此「耳目心識（魄)」與「精神性識（魂）」之不易區分，其實只是自然之理。[41]

---

40 《春秋左傳正義》，頁1437-1438。

41 周國正：〈《左傳》「人生始化曰魄」辨〉，頁219。

古人對於生理學沒有深入的研究與所需的技術，故藉由「魂魄說」講述人類自活著時便有「魂」與「魄」分別作為身體活動、精神活動兩面的所以然者，使活人的一切行為得到合理解釋。死後一切生理機能停止時，則以魂魄脫離形軀作為解釋，魂魄脫離形軀、不再作用於形軀，便是死亡後死者不再有任何肢體反應的原因。也因為魂魄可以脫離形軀單獨存在，故有魂氣「無不之」（《禮記》〈檀弓下〉）[42]、魂魄馮依於人（《左傳》〈昭公七年〉）[43]的說法出現。

人死後雖然魂魄兩者皆不再作用於死者身上，「死亡」就是死者的身體不再能活動，魄不能再作用於死者軀體，「死亡」就是「魂魄不再作用於該個體」。人有了形體活動，精神活動、思考能力才得以具體地彰顯，「魂」必須待「魄」的作用才能展現，二者互相配合造成活人的各種行動。雖然孔疏認為「魄」與「魂」的生成有先後，但作用於人類身上，魂魄兩者俱在，並能正常運作，才能維持人類正常行為運作。「人生始化曰魄，既生魄，陽曰魂，用物精多，則魂魄強，是以有精爽，至於神明，匹夫匹婦強死，其魂魄猶能馮依於人，以為淫厲，況良霄。」[44]魂魄雖然不再作用於原來所依附的死者，但是卻可以離開原來依附的個體，去作用於其餘個體上，造成各種怪異現象，被稱為「淫厲」。而生時的飲食營養也直接影響魂魄的強度，若生前飲食營養好，死後的魂魄便具更強的力量。[45]「因物之精，制

42 《禮記正義（十三經注疏）》，頁366。

43 楊伯峻：《春秋左傳注》（下冊），頁1292。

44 見註30。

45 余英時先生認為這可能基於「身體和靈魂之間關係的唯物主義解釋」，同時也影響的古代祭祀依社會群體差異而世代數目不同。（詳見余英時著；侯旭東等譯：〈魂歸來兮——論佛教傳入以前中國靈魂與來世觀念的轉變〉，頁179。）貴族生前飲食營養較好，死後魂魄力量較強，可以維持存續較長的時間。死後魂魄雖然持續存在，但會因為時間而逐漸變小，《左傳》〈文公二年〉：「新鬼大，故鬼小」（《春秋左傳注》，頁524。）可以作為有力的佐證。

為之極，明命鬼神，以為黔首」(《禮記》〈祭義〉)[46]，人作為一物之「精」，在生時稱為「魂魄」，死後則改稱「鬼神」。「《爾雅》〈釋訓〉云：『鬼之為言歸也』……以骨肉必歸于土，故以『歸』言之。」[47]「魄」主要是作用於軀體的活動上，軀體消失後除了憑依於他人為淫厲以外，並無法看出其餘太大作用。[48]而「魂」則與「魄」稍有不同，「魄識少而魂識多」，[49]且「骨肉歸復于土，命也。若魂氣則無不之也，無不之也。」(《禮記》〈檀弓下〉)[50]古人認為死者的骨肉雖然因埋葬而復歸於土，但死者的魂氣卻可以自由地活動，並無所不至。但是由於魂與魄因為人的死亡離開原來所依附的個體以後尚可以憑依於他人，並且基於不希望親友的魂魄流離失所的心意，所以葬禮埋葬屍體過程是「送形而往，迎精而反也」。[51]將形體埋葬以後，還必須將脫離原來所依附的軀體的魂與魄接回安置。而這一切的喪禮活動必是以人有「精」，即有「魂」與「魄」為前提，才有「精」可迎回。迎回死者的魂魄以後，由於魂魄已經失去生前造成身體活動與精神活動的作用對象，若不憑依於他人就難以具體地展現其功能，所以於實質活動功能面與生時已有所不同。因此於稱呼上也發生改變，人死後不再沿用生時的魂魄稱之，而改稱為「鬼神」。「聖王緣生事死，制其祭祀。存亡既異，別為立名。改生之魂曰神，改生之魄曰鬼。」由此可見，人死後之鬼神，即是生前之魂魄。由於生死有別，故不復以生時

46 《禮記正義（十三經注疏）》，頁1545。

47 《春秋左傳正義》，頁1438。

48 古人似乎認為有感知思慮的魄生成之後，會自成一個主體（這樣才談得上附著於形），而這個魄在形軀死亡之後，會如前引《禮記》〈郊特牲〉所言「歸於地」。但「歸於地」並不意味歸於無有，可以仍然存在，成為與「神」相對的「鬼」。（周國正：〈《左傳》「人生始化曰魄」辨〉，頁219。）

49 《春秋左傳正義》，頁1438。

50 《禮記正義（十三經注疏）》，頁366。

51 《禮記正義（十三經注疏）》，頁1791。

之魂魄為稱，而易之以鬼神為名。[52]

《禮記》〈問喪〉：「送形而往，迎精而反也。」[53]魂魄在原本依附的個體死亡以後，由親屬迎接回宗廟，改名為「鬼神」，接受後世子孫的祭祀，成為中國古代祭禮活動中主要的祭祀對象之一。喪葬儀禮的繁簡差別，反映了對鬼魂崇拜的程度不同。[54]中國古代的鬼神祭祀活動，窺探其所根源的生命觀基礎，當是由於古人相信人於生時有「魂」與「魄」的存在，死後「魂」與「魄」死而不絕，雖不再能作用於原來個體，但能持續存在。生者將死者的魂魄改稱為「鬼神」並加以祭祀。人活著時就同時具有魂與魄，而魂魄於死後被稱為鬼神，人死後可直接被尊稱為鬼神，死者雖死但卻不是化為烏有，又生者和雖死卻仍持續存續的親屬之間，親情仍未斷絕，生時對父母的孝也不因父母死亡而結束，故《國語》〈周語下〉云：「言孝必及神。」[55]人死而不絕的生命觀變成為古代喪禮與祭禮的背後基礎。

人生時已有魂魄，有鑒於生死有別，存亡既異，故加以別名，死後「魂魄」便被尊稱為「鬼神」。由此可知，魂魄與鬼神雖然異名，但其實是指向同樣的對象。魂魄既然是來源自死者，又與鬼神同指，所以死者死後脫離形體存續死而不絕的部分——即「魂魄」——便就直接等同於「鬼神」。如此一來可以推知，基於周世的這一套魂魄說的基礎上，「神」當具有「祖先神」的意義。「祖先神」，祖先神無疑是由祖先之靈化生的[56]，而這一套生命觀也展現在《論語》中所記載的喪禮、祭禮中，並且成為《論語》對於鬼神所示態度之基礎。

52 林素英：《喪服制度的文化意義：以《儀禮》〈喪服〉為討論中心》，頁207。

53 《禮記正義（十三經注疏）》，1791。

54 詳見鄒濬智：〈「鬼」觀念與祖先崇拜試說〉，《稻江學報》第3卷第1期（2008年6月），頁191-203、194。

55 《國語》，頁46。

56 傅佩榮：《儒道天論發微》，頁90。

第三節　《論語》對「鬼神」的態度

一　「敬鬼神而遠之」意義考察

歷來研究者對《論語》對鬼神的態度大致採取兩種立場：一是《論語》不重視鬼神，甚至否定鬼神的存在；一是《論語》不明確地否認，也不強調鬼神的存在，對鬼神存在持猶疑的態度。

採取第一種立場的學者如勞思光，勞氏於《新編中國哲學史》中說明孔子不重視原始信仰中的天神鬼等觀念，且孔子不以為客觀上有「神」享祭，所以對祭祀不從神之受祭解釋，而從祭者之誠敬說明。勞氏認為「祭」只是表示人之儀文，倘不能親自參與，則祭祀毫無意義。又勞氏以為孔子「敬鬼神而遠之」是認為「親近鬼神，自即是愚昧」[57]。

採取第二種立場的學者如馮友蘭，馮氏於《中國哲學史新編》中說明孔子既然重視喪、祭禮，就是承認有鬼神。孔子雖承敬鬼神，但是又要「遠之」，才算是「智」，那麼不遠之就是不智了。此外，孔子「對於鬼神的存在說了些模稜兩可、含糊其辭、回避問題的話」，因為鬼神的問題不是一個理論的問題而是一現實的問題，必須考慮對問題回答的現實意義和影響，故不明確否認，也不強調鬼神的存在。[58]

以上兩種立場，前者以為孔子由祭者之誠敬說明祭禮就是不認為有鬼神享祭；後者雖然以為孔子重視喪禮、祭禮就是承認有鬼神，但是並不強調。雖因為對祭禮的解釋造成兩種說法的分歧，但是除此之外還可以發現，使兩種立場對於鬼神的存在產生猶疑的最主要原因其實是因為對於「務民之義，敬鬼神而遠之，可謂知矣」[59]一句的詮釋

57 勞思光：《新編中國哲學史（一）》，頁135-136。

58 馮友蘭：《中國哲學史新編（上）》，頁102-105。

59 《論語》〈雍也〉〈6・22〉

所造成。兩種立場皆以為孔子要人「尊敬鬼神但是遠離之」。但筆者認為，若如此解釋，「敬」變成避免迷惑而採取的某種「明智的」選擇，而不是發自於人的真誠心意，只是一種表面的形式。但是《論語》卻從未支持對父母、鬼神抱持形式化的態度，反而再三要求子女對父母應該真誠不詐偽的保持恭敬的態度，參與祭祀也應該以內心真誠的恭敬虔誠為心。若將「敬鬼神而遠之」的「而」字作為逆接的語法解釋，顯然違背《論語》的基本立場，甚至可能導致舉行祭禮時那種看似熟練卻缺乏真誠心意的錯誤，[60]也就是孔子所不贊同的「祭如不祭」[61]的態度。而《禮記》中也強調禮儀的嚴謹是為了避免人失去對於鬼神的恭敬之心。[62]

首先，《論語》中的「遠」作動詞用時，所「遠」的對象不見得都是對於人有負面影響者。「遠」字於《論語》中，共出現於二十一個段落，其中有八個段落中的「遠」做動詞用。[63]「遠」的意思主要

60 詳見H. Fingarett: *Confucius: Secular as Sacred*, New York: Harper & Row, 1972, p.8。

61 《論語》〈八佾〉〈3．12〉

62 《禮記》〈表記〉子曰：「齊戒以事鬼神，擇日月以見君，恐民之不敬也。」（王夢鷗註譯，王雲五主編：《禮記今註今譯》，頁920。）

63 八段落如下：

(一) 有子曰：「信近於義，言可復也。恭近於禮，遠恥辱也。因不失其親，亦可宗也。」（《論語》〈學而〉〈1．13〉）

(二) 樊遲問知。子曰：「務民之義，敬鬼神而遠之，可謂知矣。」（《論語》〈雍也〉〈6．22〉）

(三) 君子所貴乎道者三：動容貌，斯遠暴慢矣；正顏色，斯近信矣；出辭氣，斯遠鄙倍矣。籩豆之事，則有司存。（《論語》〈泰伯〉〈8．4〉）

(四) 子夏曰：「富哉言乎！舜有天下，選於眾，舉皋陶，不仁者遠矣。（《論語》〈顏淵〉〈12．22〉）

(五)「放鄭聲，遠佞人。鄭聲淫，佞人殆。」（《論語》〈衛靈公〉〈15．11〉）

(六) 子曰：「躬自厚而薄責於人，則遠怨矣。」（《論語》〈衛靈公〉〈15．15〉）

(七) 陳亢退而喜曰：「問一得三，聞詩，聞禮，又聞君子之遠其子也。」（《論語》〈季氏〉〈16．13〉）

(八) 子曰：「唯女子與小人為難養也，近之則不孫，遠之則怨。」（《論語》〈陽貨〉〈17．25〉）

有「遠離」、「避開」、「疏遠」、「保持適當距離」。除了可以表示「遠離」、「避開」、「疏遠」有害的、不可欲的對象以外，還可以表示與對象保持適當的距離。而保持適當距離的對象不見得是有害或不可欲的，最明顯的例子如〈季氏〉記載：「陳亢退而喜曰：『問一得三，聞詩，聞禮，又聞君子之遠其子也。』」[64]於本段，孔子所「遠」的對象是其子。於是可以得知，「遠」的對象並不限於有害、不可欲者，還可能是與自己親近的對象，甚至自己的兒子。

參照孔子參與祭祀、對於祭祀對象的虔誠恭敬態度，並配合「遠」所使用的對象考察，〈雍也〉的「敬鬼神而遠之」一語顯然應該解作「尊敬鬼神所以與之保持適當距離」，「而」字應該做順接用法。山下龍二解析《論語》中「敬而」的用法時，舉出「君子敬而無失」為依據，指出「敬而」中「而」字可以當作順接用法，表示「出自於內心的恭敬所以……。」[65]若將「敬鬼神而遠之」中的「而」字作順接解似乎較能與《論語》強調應謹慎齋戒、舉行祭禮應該抱持恭敬虔誠的態度、禮以內心真誠情感為根本的立場融貫。

至於何以《論語》要提出尊敬鬼神，並應該與鬼神保持適當距離之說，當是為了避免「瀆神」的情況發生。包咸云：「敬鬼神而不黷」[66]，又參考邢昺的解釋：

> 《正義》曰：「遠者敬之，至不知所遠，雖敬亦黷。黷者，慢

---

64 《論語》〈季氏〉〈16・13〉

65 詳見山下龍二：〈論語における《鬼神》について—儒教の宗教的性格—〉，《名古屋大学文学部二十周年記念論集》（名古屋：名古屋大学文学部，1968年），頁46-47。雖然山下氏提出《論語》中兩段記載作為佐證，但「敬而不違」一段於今本作「有敬不違」（《論語》〈里仁〉〈4・18〉），朱熹本、今本皆多改作：「有敬不違」。皇本「敬」下有「而」字。《考文補遺》引古本「敬」下有「而以」二字。（詳見《論語集釋》，頁270。）

66 〔後漢〕包咸，《論語包氏章句》，引自《論語正義》，頁236。

> 也。《楚語》〈觀射父〉曰：『古者民神異業，敬而不瀆，故神降之嘉生，民以物享，禍災不至，求用不匱。及少昊之衰也，九黎亂德，民神雜糅，不可方物。夫人作享，家為巫史，無有要質。民匱于祀，而不知其福。蒸享無度，民神同位。民瀆齊盟，無有嚴威。神狎民則，不蠲其為。嘉生不降，無物以享。禍災薦臻，莫盡其氣。顓頊受之，乃命南正重司天以屬神，命火正黎司地以屬民，使復舊常，無相侵瀆，是謂絕地天通。』案：世衰則神教興，其始亦以禍福示戒，而終必歸於瀆祀，以長期諂慢之罪。春秋時如黃能、實沈，多非禮之祀，在上者僭越無能等，在下者習於風俗，競為祈禳，而不知所懲，就之獲罪鬼神，莫能徼福免於患，斯惑之甚者矣。惟知敬遠之義，則吉凶順逆，皆可順受其正，修其在己而不為无妄之求，斯可謂知矣。」[67]

邢昺所引用的《國語》〈楚語下〉這一段記載應是對於《尚書》〈呂刑〉中「絕地天通」一語的解釋。[68]顯然古代曾經發生過人與鬼神過於親近，導致人為了求福，「人人祭祀，家家作巫，任意通天」，[69]結果祭品匱乏，又造成民神同位的局面，人不再獲得福佑。甚至春秋時代還出現僭越的祭禮，近廟欺神、親暱生狎侮，與鬼神不能保持合乎禮而適當的距離，由於親暱而產生諸多反效果，最終可能褻瀆、觸怒鬼神。出乎對於鬼神的恭敬虔誠之意，為避免不當的關係觸怒鬼神，所以孔子才呼籲人應該與鬼神保持適當的距離。由此可知，孔子於此

67 〔宋〕邢昺：《論語注疏》，引自《論語正義》，頁237。

68 勞思光認為這一段話是晚周人對《尚書》〈呂刑〉「絕地天通」一語之解釋，指出古代有神人關係過度密切之問題，其一共主乃須訂制度，設專職人員分掌「祀神」與「理民」之事。（勞思光：《新編中國哲學史（一）》，頁93。）

69 陳來：《古代宗教與倫理：儒家思想的根源》，頁24。

並未表現對於鬼神的存在的否定或懷疑，僅是表明人與鬼神之間應該保持適當的距離，且是出乎於對鬼神的恭敬之意，並且同時應該要專心服務百姓。照顧百姓、為民服務與合禮舉行祭祀、敬事鬼神二事之間並不存在衝突，可以並行不悖。

二　「未能事人，焉能事鬼？」

《論語》對於侍奉鬼神的相關記載，最主要的段落出現於〈先進〉中孔子與子路談論鬼神的段落：

> 季路問事鬼神。子曰：「未能事人，焉能事鬼？」曰：「敢問死。」曰：「未知生，焉知死？」[70]

這一段話是孔子用以回答子路的。關於子路對鬼神的態度可由其他篇章查知，如《論語》〈述而〉記載：

> 子疾病，子路請禱。子曰：「有諸？」子路對曰：「有之。《誄》曰：『禱爾于上下神祇。』」子曰：「丘之禱久矣。」[71]

子路曾經企圖藉由禱告於鬼神為孔子求福。誠然，根據《儀禮》〈既夕禮〉：「乃行禱於五祀」，瀕死者臨終前隨侍在側的親屬向鬼神禱告，盼能藉由神的福佑，使得臨終者復生，這種瀕死前的祈禱雖有記載可循，但就其根源，除了展現親友之間的關懷之情以外，還基於對於鬼神有能力賜福的相信。

---

70 《論語》〈先進〉〈11．12〉

71 《論語》〈述而〉〈7．35〉

由於孔子對於相同議題的回答因為發問者不同而經常有所差異，且針對特定情況也會為了符合情況所需而有特別的回答，如《禮記》〈檀弓上〉有子就曾說：「然，然則夫子有為言之也」[72]。所以若要更加精確地瞭解孔子的回答，則必須考察其對象與對答情境。關於子路的性格與特質，可參見下列篇章：

（一）子曰：「由，誨女知之乎？知之為知之，不知為不知，是知也。」[73]

（二）子路有聞，未之能行，唯恐有聞。[74]

（三）柴也愚，參也魯，師也辟，由也喭。[75]

（四）求也退，故進之；由也兼人，故退之。[76]

由上述引文來看，子路的性格顯然有對事情不夠瞭解，但卻擺出彷彿非常瞭解的樣子的情況。對於不清楚、不理解的事物還只是一知半解，卻又急欲想學習其餘新知。不踏實循序漸進學習，結果往往是對什麼都理解不完全。所以孔子指導子路求知應有的態度，勉勵子路知道就說知道，不知道就說不知道。對知識的客觀認識，還必須配合實踐將所知付諸實行，但是有效的實行仍需要有正確且足夠的知識作為基礎。子路生性魯莽急躁，聽到可以做的事，往往不能仔細考慮行事方法或判斷這件事本身是否合乎禮、是否正當。未能完全瞭解該事，便急著要去做。未能明晰事理就急著去做，往往帶來惡果，所以孔子勉勵子路要能夠「知之為知之，不知為不知」[77]。子路聽聞道理，還未

72 《禮記正義（十三經注疏）》，頁266。

73 《論語》〈為政〉〈2．17〉

74 《論語》〈公冶長〉〈5．13〉

75 《論語》〈先進〉〈11．18〉

76 《論語》〈先進〉〈11．22〉

77 《論語》〈為政〉〈2．17〉

能夠做到付諸實行以前，只怕又聽聞新的道理。實踐道理雖然沒有先後之分，但是若目前眼下正待實行的道理還不能好好掌握，又急著去學習新知、急著實踐新道理，不免因急躁導致混亂，甚至一事無成。

〈先進〉中關於事鬼神的討論，孔子回答「沒有辦法服侍活人，怎麼能夠服侍死去的人呢？」後一句緊接著另一個問題「敢問死」，而孔子則回答「未能瞭解生的道理，怎麼能夠瞭解死的道理。」子路顯然還不懂得如何侍奉身邊的活人，便急著想學習如何服侍死去的人，眼下應行的事理尚理解不足、未能實踐，沒有「能行」的把握，便急著要學習新道理。對於生的道理僅只有一知半解，卻彷若已經懂了，躁進地想去學習死亡的道理。知、行皆不能踏實，恐怕只會不斷犯錯。所以孔子告誡子路，應該從正在面對的周遭事物開始努力學習與實踐，但並不表示「事鬼神」和「死」兩個議題不重要。

孔子期望子路可以踏實穩健的學習，透過紮實的理解「事人」與「生」的道理，對於「事鬼神」與「死」的理解與實踐反而是有正面助益的。由於死的根本可以溯源至生，而鬼神與活人有直接關聯性，所以「事鬼神」與「死」的道理皆根源於「事人」與「生」的道理。前文論《論語》中「三年之喪」的根源問題時，得知孔子將對於死者服喪奠基於生時的親子「三年之愛」的情感上，由於子女年幼受父母照顧，使子女長大成人後知道敬事父母，父母死後善理後世，並於喪畢後仍舉行祭禮追思父母所轉化而成的「鬼神」。「生」到「死」的道理以及「事人」到「事鬼神」的道理皆是連貫不斷的，必須循序漸進地、踏實穩健地進行理解。故孔子才如此答覆子路，希望藉由建構對基礎道理的紮實理解，增進可能隨時即將面對的「事鬼神」與「死」問題的處理能力。

有學者因為「季路問事鬼神」一段而以為《論語》對於鬼神抱持「合理主義的態度」，如金谷治便認為《論語》雖殘餘對鬼神的「敬」的態度，對鬼神敬畏遲疑的心情與理性有別，所以孔子雖並不明確否定鬼神，但對於鬼神的存在僅視為社會風俗，而不刻意改變而持冷淡態度。但若作為合理主義又不夠徹底，所以金谷治將孔子的合理主義稱為現實性的合理主義。只追究可以確實地考量的問題，深入追究不確定的未知世界有危險，所以試圖停留在確實的世界為邊際。[78]

筆者已於前段說明，「敬鬼神而遠之」[79]應該解作「尊敬鬼神所以與之保持適當距離」。又本段說明孔子希望藉由建構對基礎道理的紮實理解，增進可能隨時即將面對的「事鬼神」與「死」問題的處理能力。對於鬼神——其中包含祖先神——的恭敬虔誠是根源於生時親子間的生理依賴（三年之愛），遂生親子間的情感網絡，父母在世時恭敬並合乎禮侍奉父母，父母死時子女內心湧現情感需求（道德的感情）而依照禮儀為父母善理後事。父母喪畢後，子女對於父母的思慕之情未了，故定期舉辦祭禮追思亡故的父母、祖先，祭禮恭敬虔誠。「事人」與「事鬼神」本是一事的延續，雖以「死」為分界，但兩者間並無斷裂。孔子期許子路由學習本於真誠心意敬事活著的父母做起，才是學習如何事奉鬼神的根本。孔子並未停留在生前的世界，而藉由對喪禮、祭禮的重視，將視域拓展至死後的世界。故《國語》〈周語下〉云：「言孝必及神」[80]，而《論語》中孔子亦盛讚禹「菲飲食，而致孝乎鬼神」[81]，由人死而不絕的生命觀展開對父母、祖先、鬼神以「生，事之以禮；死，葬之以禮，祭之以禮。」[82]為必要條件的一貫之「孝」。

由生時的敬事父母到父母死時以禮葬之，乃至喪畢後的祭禮，皆是立基於「真誠面對內心情感要求」——即「仁」的必要條件。父母

78 金谷治：《孔子》（東京：講談社学術文庫，1990年），頁87-89。

79 《論語》〈雍也〉〈6．22〉

80 《國語》，頁46。

81 《論語》〈泰伯〉〈8．21〉

82 《論語》〈為政〉〈2．5〉

死後轉化為鬼神，子女對亡故的祖先與鬼神行喪禮祭禮、對父母的敬愛、維持祭禮的延續，這三者構成《論語》中以「孝」、「仁」為核心的喪禮祭禮結構。根源於對鬼神存在的肯定與恭敬虔誠上，《論語》所論的喪禮、祭禮遂成內外兼具的完整而圓滿的禮儀規範。兼重內心對死者與鬼神的真誠心意，同時以適切妥當的外在禮儀展現行禮者的內心情感，而不落於僅只是展現生者「努力實踐禮儀規範」，卻不相信行禮對象的虛應故事。

三　《論語》中其他與「鬼神」相關段落

《論語》中孔子呼籲人應該尊敬鬼神而與鬼神保持適當距離[83]，但春秋時代的人除祭祀以外，仍會透過其他管道與鬼神進行溝通。《論語》中便記載子路欲透過「禱」向鬼神請求福佑的案例：

> 子疾病，子路請禱。子曰：「有諸？」子路對曰：「有之。〈誄〉曰：『禱爾于上下神祇。』」子曰：「丘之禱久矣。」[84]

孔子重病時，子路請示孔子禱告求福，但是孔子並未接受，而說自己長期以來不斷禱告已久。歷來對於孔子禱告的對象有許多討論，參考「禱」於《論語》中來有另一用例，考察孔子的祈禱對象：

> 王孫賈問曰：「與其媚於奧，寧媚於灶，何謂也？」子曰：「不然，獲罪於天，無所禱也。」[85]

---

83 《論語》〈雍也〉〈6・22〉

84 《論語》〈述而〉〈7・35〉

85 《論語》〈八佾〉〈3・13〉

以上引文顯示，顯然在孔子的時代，人有祈禱的習慣，相信可以藉祈禱向鬼神求福。看孔子則認為如果獲罪於天，不管向任何對象進行禱告都沒有作用。朱熹以為「天，即理也……逆理，則獲罪於天矣。」[86]但是朱熹的解釋歷來備受批評，崔述《論語餘說》:「以理為天非也……但有悖於理，即獲罪於天，非謂理為天也。」[87]錢大昕《養新錄》:「宋儒謂性即理是也，謂天即理恐未然。獲罪於天無所禱，謂禱於天也，豈禱於理乎？《詩》云敬天之怒、畏天之威，理豈有怒與威乎？又云敬天之渝，理不可言渝也。謂理出於天則可，謂天即理則不可。」[88]傅佩榮則認為本段引文指出「天是人類祈禱訴求時唯一的對象」。[89]明顯的，《論語》中存在著超越鬼神、可以獲罪、有威怒、而可以左右人的生命的存有——即「天」。參考《左傳》中，亦可發現春秋時人對「天」有類似的理解，以為「天」凌駕於鬼神，甚至還有道德裁判的能力。

古人相信鬼神能夠透過賜福、降災的能力，影響人的吉凶，亦相信可以透過占筮活動借助鬼神的功能預測未來的情況，相信鬼神有預示未來的能力。人基於消極避開災禍與積極追求福祉的希望，企圖透過祭祀與鬼溝通，進而獲得鬼神的福佑，《易經》〈困卦〉九五〈象〉曰:「利用祭祀，受福也。」[90]、《易經》〈既濟卦〉九五:「東鄰殺牛，不如西鄰之禴祭，實受其福。」〈象〉曰:「東鄰殺牛，不如西鄰之時也。實受其福，吉大來也。」[91]由《易經》顯示古人相信合宜的祭祀可以使舉行祭祀者獲得福佑。《左傳》〈成公五年〉:

86 《四書章句集注》，頁86。

87 〔清〕崔述:《論語餘說》，引自《論語集釋》，頁181。

88 〔清〕錢大昕:《養新錄》，引自《論語集釋》，頁181-182。

89 《儒道天論發微》，頁131。

90 《周易本義》，頁180。

91 《周易本義》，頁228。

> 五年，春，原、屏放諸齊。嬰曰：「我在，故欒氏不作。我亡，吾二昆其憂哉。且人各有能、有不能，舍我，何害？」弗聽。嬰夢天使謂己：「祭余，余福女。」使問諸士貞伯。貞伯曰：「不識也。」既而告其人曰：「神福仁而禍淫。淫而無罰，福也。祭，其得亡乎？」祭之，之明日而亡。[92]

顯示春秋時代曾經存在著「互相贈予式」的神人關係，進一步還將神所具有的道德裁判的意義帶入了原本單純的互惠關係之中。[93]由《左傳》中神能「福仁而獲淫」可知，鬼神的賞罰標準大體上與現世人類的賞罰標準一致。淫者即使祭神，恐也不能無罰。[94]同樣的思想又可見於《易經》〈謙卦〉〈彖傳〉：「天道虧盈而益謙，地道變盈而流謙，鬼神害盈而福謙，人道惡盈而好謙。」[95]可見天、地、鬼神、人有一致的賞罰標準。儒家甚至還認為由於鬼神有賞善罰惡的能力，藉鬼神的賞善罰惡之功，還能夠達到教化現世人類的效果。[96]鬼神既能夠行賞罰於人，意謂人死後有知，如活人一般有情緒反應。且鬼神可以接受人的要求而授福於人，對於「盈者」也可以予以禍害。由此可知，

92 《春秋左傳注》（下冊），頁821-822。

93 詳見《追尋一己之福：中國古代的信仰世界》，頁87。

94 詳見李隆獻：〈從《左傳》的「神怪敘事」論其人文精神〉，收入《北京大學中國古文獻研究中心集刊．第九輯．中國經典文獻詮釋藝術學術討論會論文集》（北京市：北京大學中國古文獻研究中心，2010年），頁155-176。李隆獻還認為：「由此則事例，可知《左氏》並不相信討好鬼神——即使是鬼神自己請求的——便能逃避懲罰，其人文精神昭昭可見……依《左傳》所記，無論子玉、趙嬰、晉景，皆事涉神怪，但其人亦皆有失德之行，隱然有警戒、教化意味在焉，並非出於鬼神之能禍福人世。」《左傳》作者雖欲強調道德裁判的神人關係藉以發揮教化作用，但據其所載，當時代的人的確相信透過祭祀可能獲得鬼神的福佑，即使最後事實證明淫者無法獲得福佑。

95 《周易本義》，頁84。

96 《禮記》〈祭義〉中所記孔子對於鬼神的描述，可知古人藉鬼神還可以達成教化之效。

春秋時代處於「互相贈予式」的神人關係與道德裁判的神人關係混雜的階段。

鬼神乃是由人所轉化而成，與活人有類似的情緒反應，更可能有惡人所轉化成的鬼神。但若鬼神皆有賞善罰惡之能，生前為不善者死後化成鬼神，其賞善罰惡的能力似乎便要受到質疑。於是出現一凌駕於鬼神的存在作為善惡、賞罰的最高標準裁決者。《左傳》記載許多鬼靈復仇的事件，其中便有許多生前為惡的鬼對生者展開復仇的活動。但李隆獻分析，《左傳》中雖有惡人所成之鬼進行復仇，但其復仇對象亦屬惡人，固化為「惡鬼」後也可以向「惡人」復仇，合乎「教化」的最終意涵。且先秦兩漢鬼靈復仇的方式，有部分先訴諸「天／帝」再採取行動，聲稱取得天帝復仇之命才遂行復仇事件，如渾良夫、申生的復仇事件皆以訴諸天／帝為前提。[97]可見春秋時代有以天或帝作為凌駕於鬼神之上進行裁判的事例，鬼神並非最終的裁決者。筆者認為《論語》記載「獲罪於天，無所禱也。」[98]也是顯示了同樣的想法，孔子不以鬼神為最終的祈禱對象，雖然鬼神可以賜福於人，但是若得罪了凌駕於鬼神之上的天，向鬼神祈禱也毫無作用。「天」才是孔子最終的祈禱對象。於是「丘之禱久矣。」[99]所示的祈

97 詳見李隆獻：〈先秦至唐代鬼靈復仇事例的省察與詮釋〉，《文與哲》第16期，（2010年6月），頁139-202。

（一）渾良夫的復仇事件見《左傳》〈哀公十六年〉、《左傳》〈哀公十七年〉》：「衛侯夢于北宮，見人登昆吾之觀，被髮北面而譟曰：『登此昆吾之墟，緜緜生之瓜。余為渾良夫，叫天無辜。』」（楊伯峻：《春秋左傳注》（下冊），頁1709。）

（二）申生的復仇事件見《左傳》〈僖公十年〉：「晉侯改葬共太子。秋，狐突適下國，遇太子。太子使登，僕，而告之曰：『夷吾無禮，余得請於帝矣，將以晉畀秦，秦將祀余。』對曰：『臣聞之：神不歆非類，民不祀非族。君祀無乃殄乎？且民何罪？失刑、乏祀，君其圖之！』君曰：『諾。吾將復請。七日，新城西偏將有巫者而見我焉。』許之，遂不見。及期而往，告之曰：『帝許我罰有罪矣，敝於韓。』」（楊伯峻：《春秋左傳注》（上冊），頁334-335。）

98 《論語》〈八佾〉〈3・13〉

99 《論語》〈述而〉〈7・35〉

禱對象也就更加明確了，孔子於生命危急時不向鬼神祈禱，並且聲稱自己長久以來一直在祈禱，顯然此祈禱對象是淩駕於鬼神之上而可以左右人的「天」。孔子對於鬼神的信仰雖然明確，但於鬼神之外，孔子仍有一淩駕於鬼神的信仰——即「天」。故孔子面臨危急時並不向鬼神祈禱，而以「天」為最終的祈禱對象。本章旨在探究《論語》中的鬼神觀，故不申述孔子對於「天」的信仰，僅點到為止。

第四節　小結

由本章說明可知，人死為「鬼」，而春秋時代「神」卻可能有「自然神」、「有功於民的死者」、「神異不測」等多義。鬼神本來就沒有截然不可通的分別，人鬼亦可為神，鬼神間的分隔有許多可溝通之處。周世還發展出一套魂魄說，人生時便有魂與魄，魂與魄死後則改稱神與鬼，於是「鬼神」便可以直接等同「死者」或「祖先神」。

《論語》中孔子對於鬼神的態度是虔誠恭敬，基於對鬼神的恭敬，所以與鬼神保持適當距離，以避免過於親近而造成瀆神的情況。《論語》書中未見對於鬼神存在的質疑，反而屢次強調對於鬼神應持「敬」的態度，並且不可怠慢祭祀，祭祀必須合乎禮儀規範。對鬼神虔誠恭敬，並同時專心服務百姓，兩者並無矛盾，可以並行不悖。

《論語》中指示了孔子對鬼神不抱持懷疑，並且對鬼神恭敬虔誠，尊敬鬼神並且與鬼神保持適當距離。舉行祭祀時，於內懷抱真誠的心意，於外則依禮而行。由於生死、人鬼是一貫不斷的連續，所以孔子要求學生必須按部就班，由學習眼前侍奉父母為基礎，學習侍奉鬼神；由對於生的瞭解為基礎，學習死的道理。

奠基於生死、人鬼連續的死而不絕的生命觀上，由於生命的死而不絕與親子情感的死而不絕，衍生出《論語》對於喪禮、祭禮的種種論述，喪禮、祭禮的立論核心便是基於這一套包含生時敬事父母與對於鬼神虔誠恭敬的鬼神觀之上。談論《論語》中的喪禮與祭禮最終還是要回到其理論建構的核心，若沒有對於這一套生命觀的認識，喪禮與祭禮便要流於虛文，只是生者一連串熟練精巧的儀式展現，對於行禮對象卻充滿質疑。本文由《論語》對於喪禮與祭禮的記載進行分析，再回頭考察《論語》中的生命觀，希望可以藉由考察禮儀的施行，分析《論語》對於人與行禮對象間的關係，再經由《論語》對行禮對象的態度逐漸接近對象本身，試圖返回禮儀類後的立論基礎。解開《論語》中的生命觀基礎後，孔子重視喪禮、祭禮的原因也就自然明瞭。

結論

本文由考察《論語》中所記載與喪禮相關的段落開始，解析書中對於人通過必經的死亡關卡時，喪禮對於死者所具有的影響及功能。《論語》記載有關人的瀕死及死亡事件時，展現出對於瀕死者及死者的關懷，危篤之際，親友透過祈禱盼望死者重現生機，斷氣後，甚至行復禮招魂，皆是生者對於瀕死親屬的真情展現之舉。即便死者終不能躲避死亡的威脅，死者死後清潔死者形軀，並以「棺」、「椁」封藏死者，安頓死者的形軀。對於喪禮事宜應依照禮的規範而行，並且根據經濟條件權衡取捨，不需勉強或浮誇，內心真誠的哀情才是喪禮的根本。喪禮不僅考量對於死者形軀的安頓，也重視對於死者「精」的安頓，生者依據禮儀而舉行喪禮，使死者「形」與「精」都獲得莊嚴妥善的安置。

喪禮所影響的對象不僅是被動接受治喪事宜的死者，更包含所有參與喪禮的生者。參與者於喪禮的各種儀節中，透過哭踊等身體動作抒發內心情感、展現喪失親友的悲痛之情。喪禮中「哭」等儀節因應人情而設，透過身體活動宣泄情緒，調節生者的生理機能並安定生者悲痛的情緒。而所有喪禮儀節皆應以真誠情感為基。《論語》中指出喪禮最重要的情感基礎是「哀」與「戚」，居喪中充分表現哀情則止，在喪禮流程中依照禮儀合理地抒發情緒，以不因過當的情感展現而傷身為原則。喪禮安頓生者的身心，並引導喪失親友者可以逐步回歸往日生活。反觀一般人於日常生活中，往往難以顯露內心真誠的情感，甚至虛偽造作，這樣的行為皆不受到孔子的贊同。行禮時更可能只是配合各種外在儀節，內心卻不具絲毫心意。禮兼重內在情感基礎與外在展現情感的儀節，而以情感基礎為根本。孔子重視禮，並且經常論及喪禮，指出喪禮以哀戚之情為根本，並特別重視真誠心意。孔子對於喪禮的重視乃是因為喪禮，特別是父母喪，是一般人少有的能夠充分展現內心真實情感的關鍵事件與契機。

《論語》中有關喪禮的最重要段落是孔子與宰我論「三年之喪」一段。至親的父母亡故時，子女心中悲痛至深，往往久久不能平復。古代便設計了一套服喪制度，一方面讓子女實際進行「三年之喪」，於服喪期間可以逐漸宣泄情感，同時學習依禮收放內心悲痛哀戚的情感，藉悲傷的排解逐步收起心中哀戚，喪畢後得以更順利地回歸往日的生活。另一方面，藉由服喪可以消弭子女內心不安的情緒。一般人於父母喪期間，若仍一如往日生活起居，心中便會有一股不安的情緒油然而生。若真誠面對心中的情感要求，不安的情緒便會要求子女放棄日常逸樂，心中自然而生內在的動力為父母善理後事並為父母服喪。父母的亡故事件便成為一般人真誠面對內心情感要求並充分展現的契機。

孔子解釋安與不安兩種心理狀態的根源時，回溯至嬰兒出生後必須歷經三年的時間才可以離開父母的照顧，親子的三年之愛促成子女心中不安的情緒。宰我由社會經濟的問題質疑三年之喪時間太長，而孔子以三年之喪為古禮，並將三年之喪的理論基礎建立於一般人普遍皆有的情感要求上，肯定三年之喪是天下之通喪。孔子駁斥宰我不行三年之喪也不覺得不安是「不仁」的表現，宰我不能面對內心不安的情感要求被批評是「不仁」，可見真誠面對內心情感要求是「仁」的必要條件與重要判準之一。喪禮與「孝」高度關聯，《論語》中對「孝」的說明：「生，事之以禮；死，葬之以禮，祭之以禮」[1]，「孝」除了對父母生時的依禮侍奉以外，還包含死後的依禮而葬與依

1 《論語》〈為政〉〈2・5〉

禮而祭兩個面向。由本文討論可知，父母喪是行孝、啟仁的關鍵事件，故「孝弟也者，其為仁之本與」[2]便更加容易理解。同時可知，相對於「喪」，「祭」也是考察《論語》時不可忽略的重要議題。

與亡故親屬之間的關係並非喪畢後便一了百了，生者與死者間的關係還透過對於亡者的祭祀向未來開放。《論語》重視祭祀前的齋戒，並且強調祭祀時應該抱持恭敬虔誠的態度，展現出生者對於死者死生一貫的情感延續。生者與祖先之間並不是絕對斷絕的，古人相信生者可以透過祭祀等管道與死者、鬼神溝通，並且接受其影響。慎終追遠的具體實踐展現出《論語》中過去、現在、未來的連繫與貫通。

《論語》中喪禮、祭禮皆不只是生者個人品德的展現場所，而是考量生者、死者雙方而設。藉由禮儀使生者的身心得以安頓，並且緬懷祖先，同時使死者得以安息。如果強調喪祭禮儀卻不承認行禮對象的存在，那麼禮儀彷彿只是生者個人行為的表現場所，禮儀的實踐也僅是虛應故事、因循成規而已。故筆者認為若欲精確理解《論語》的喪禮、祭禮，則不得不探討喪祭禮儀的對象。《論語》中喪禮的執行對象是死者，祭禮的執行對象以鬼神為主，探視喪祭的對象可以剖析出其背後的支持架構——即《論語》中的「生命觀」。

考察《論語》中的祭禮的實行對象——「鬼神」可知，「鬼神」雖有多義，但其主要的意義之一即是「祖先」或泛指「死者」。春秋時人相信人生時便具有「魂」、「魄」，此兩者於人亡故以後便改稱「鬼」、「神」。人死後並不是隨著形軀的入土而煙消雲散，由第一章中討論喪禮的執行可知，喪禮包含對死者的「形」與「精」的安頓，所謂「精」便是死後改稱為「鬼神」者。喪畢以後執行祭禮以「鬼神」為主要對象。對於鬼神不親近褻瀆，並且由於人死而不絕的連貫，所以要由學習侍奉父母即生者，按部就班地才能妥當地侍奉鬼神。

2 《論語》〈學而〉〈1・2〉

生者於親屬死後，為思慕父母、緬懷先祖，所以舉行祭祀與亡者所成的鬼神溝通，可見喪禮、祭禮根本是建立於一套死而不絕的生命觀上。若不瞭解《論語》中根本的生命觀，對於書中的喪禮、祭禮便不能獲得正確的認識，甚至會誤以為喪祭禮儀僅是虛文、不存在行禮對象。《論語》中的喪禮、祭禮、鬼神觀渾然成為一個整體系統，而非零散的儀式組合。考察喪禮、祭禮不僅要分析其內在情感基礎、外在規範與禮儀的教化作用，更應重視禮儀整體背後所根據的架構。筆者透過本文的剖析，盼能對於《論語》所具的喪祭禮儀與鬼神觀獲得精確的認識，提供解析《論語》時可能採取的一套理論架構與觀點。

參考文獻

一　古籍文獻與註釋

〔周〕左丘明傳　〔晉〕杜預注　〔唐〕孔穎達正義　李學勤主編　《春秋左傳正義（十三經注疏）》　北京市　北京大學出版社　2000年

〔周〕左丘明撰　鮑思陶點校　《國語》　濟南市　齊魯書社　2005年

〔漢〕公羊壽傳　〔漢〕何休解詁　〔唐〕徐彥疏　浦衛忠整理　楊向奎審定　《春秋公羊傳注疏（十三經注疏）》　北京市　北京大學出版社　2000年

〔漢〕孔安國傳　〔唐〕孔穎達正義　廖名春、陳明整理　呂紹綱審定　《尚書正義（十三經注疏）》　北京市　北京大學出版社　2000年

〔漢〕鄭玄注　〔唐〕賈公彥疏　趙伯雄整理　王文錦審定　《周禮注疏》　北京市　北京大學出版社　2000年

〔漢〕鄭玄注　〔唐〕賈公彥疏　彭林整理　王文錦審定　《儀禮注疏（十三經注疏）》　北京市　北京大學出版社　2000年

〔漢〕鄭玄注　〔唐〕孔穎達疏　龔抗雲整理　王文錦審定　李學勤主編　《禮記正義》　北京市　北京大學出版社　2000年

〔唐〕陸德明　《經典釋文》　北京市　中華書局　1983年

〔宋〕朱熹　《四書章句集注》　臺北市　大安出版社　1999年

〔宋〕朱熹　《周易本義》　臺北市　大安出版社　1999年

〔清〕王先謙撰　沈嘯寰、王星賢點校　《荀子集解》　北京市　中華書局　1988年
〔清〕孫詒讓著　孫以楷點校　《墨子閒詁》　臺北市　華正書局　1987年
〔清〕孫希旦　《禮記集解》　北京市　中華書局　1989年
〔清〕程樹德撰　程俊英、蔣見元點校　《論語集釋》　北京市　中華書局　1990年
〔清〕劉寶楠撰　高流水點校　《論語正義》　北京市　中華書局　1990年
王夢鷗註譯　王雲五主編　《禮記今注今譯》　臺北市　臺灣商務印書館　2009年
傅佩榮　《傅佩榮解讀論語》　新北市　立緒文化事業公司　1999年
楊伯峻　《春秋左傳注》全二冊　臺北市　洪葉文化事業公司　1993年
楊伯峻　《論語譯注》　北京市　中華書局　2002年

二　中文專書

王祥齡　《中國古代崇祖敬天思想》　臺北市　臺灣學生書局　1992年
成中英　《美的深處——本體美學》　杭州市　浙江大學出版社　2011年
余英時　《東漢生死觀》　臺北市　聯經出版社　2008年
李曰剛等著　《三禮論文集》　臺北市　黎明文化公司　1981年
李淵庭、閻秉華整理　《梁漱溟先生講孔孟》　上海市　上海三聯書店　2008年
周　何　《古禮今談》　臺北市　萬卷樓圖書公司　1992年
林素英　《古代生命禮儀中的生死觀：以《禮記》為主的現代詮釋》　臺北市　文津出版社　1997年

林素英　《喪服制度的文化意義：以《儀禮》〈喪服〉為討論中心
　　　　臺北市　文津出版社　2000年
林素英　《禮學思想與應用》　臺北市　萬卷樓圖書公司　2003年
林惠祥　《文化人類學》　新北市　Airiti Press　2010年
胡　適　《中國哲學史大綱——古代哲學史》　臺北市　臺灣商務印
　　　　書館　2008年
徐復觀　《中國人性論史・先秦篇》　臺北市　臺灣商務印書館
　　　　1969年
徐復觀　《中國思想史論集》　臺北市　臺灣學生書局　1959年
徐復觀　《中國思想史論集》　臺北市　臺灣學生書局　1959年
章太炎　《諸子學略說》　桂林市　廣西師範大學出版社　2010年
章景明　《先秦喪服制度考》　臺北市　臺灣中華書局　1971年
陳　來　《古代宗教與倫理：儒家思想的根源》　北京市　生活・讀
　　　　書・新知三聯書店　2009年
馮友蘭　《中國哲學史新編》　北京市　人民出版社　1998年
傅佩榮　《儒道天論發微》　臺北市　聯經出版社　2010年
傅佩榮　《儒家哲學新論》　臺北市　聯經出版社　2010年
傅佩榮　《國學的天空》　西安市　陝西師範大學出版社　2009年
傅佩榮　《論語之美》　長沙市　湖南文藝出版社　2012年
傅佩榮　《新編中國哲學史（一）》　臺北市　三民書局　2010年
葉國良、夏長樸、李隆獻合著　《經學通論》臺北市　大安出版社
　　　　2005年
楊　寬　〈冠禮新探〉　收錄於杜正勝編　《中國上古史論文選集》
　　　　下冊　臺北市　華世公司　1979年
蒲慕州　《追尋一己之福：中國古代的信仰世界》　臺北市　允晨文
　　　　化實業公司　1995年
蔡仁厚　《中國哲學史》　臺北市　臺灣學生書局　2009年

鄭志明　《中國殯葬禮儀學新論》　北京市　東方出版社　2010年
蕭登福　《先秦兩漢冥界及神仙思想探原》　臺北市　文津出版社　2001年
錢　穆　《孔子與論語》　臺北市　聯經出版社　1974年　2007年

三　專書中譯本

〔法〕列維・布留爾著　丁由譯　《原始思維》　北京市　商務印書館　1981年

四　日文專書

加地伸行　《孔子——時を超えて新しく》　東京　集英社　1984年
加地伸行　《儒教とは何か》　東京　中央公論新社　1990年
加地伸行　《沈黙の宗教——儒教》　東京　筑摩書房　1994年
加地伸行　《論語再説》　東京　中央公論新社　2009年
加藤常賢　《中國古代倫理學の發達》　東京　二松學舍大學出版部　1983年
金谷治　《孔子》　東京　講談社学術文庫　1990年
澤田多喜男　《『論語』考索》　東京　知泉書館　2009年
白川静　《孔子伝》　東京　中央公論新社　1991年
白川静　《中国古代の文化》　東京　講談社学術文庫　1979
白川静　《中国古代の民俗》　東京　講談社学術文庫　1980年
吉川幸次郎　《『「論語」の話』》　東京　筑摩書房　ちくま学芸文庫　2008年
和辻哲郎　《孔子》　東京　岩波書店　1988年

五　專書日譯本

Anne Cheng 著　志野好伸、中島隆博、廣瀨玲子譯　《中国思想史》　東京　知泉書館　2010年

六　英文專書

B. Schwartz: *The World of Thought in Ancient China*, MA: Harvard University Press, 1985.

H. Fingarett: *Confucius: Secular as Sacred*,New York: Harper & Row, 1972.

七　單篇論文

（一）中文單篇論文

李隆獻　〈先秦至唐代鬼靈復仇事例的省察與詮釋〉　《文與哲》　第16期　2010年6月　頁139-202

林素娟　〈先秦至漢代禮俗中有關厲鬼的觀念及其因應之道〉　《成大中文學報》　第13期　2005年12月　頁59-94

周國正　〈《左傳》「人生始化曰魄」辨〉　《臺大文史哲學報》　第57卷　2002年11月　頁211-221

傅佩榮　〈孔子對死亡的某種定見〉　《哲學與文化》　第32卷第4期　2005年5月　頁61-71

傅佩榮　〈孔子情緒用語的兩個焦點：怨與恥〉　《哲學雜誌》　第36期　2001年8月　頁4-24

傅佩榮　〈存在與價值之關係問題〉　《國立臺灣大學哲學論評》　第15期　1992年1月　頁127-142

傅佩榮　〈我怎樣讀《論語》〉　《哲學雜誌》　第6期　1993年10月　頁4-21

鄒濬智　〈「鬼」觀念與祖先崇拜試說〉　《稻江學報》　第3卷第1期　2008年6月　頁191-203

蔡　瑜　〈從「興於詩」論李白詩詮釋的一個問題〉　收入楊儒賓編《中國經典詮釋傳統（三）文學與道家經典篇》　臺北市　喜瑪拉雅基金會　2001年

（二）日文單篇論文

山下龍二　〈論語における《鬼神》について─儒教の宗教的性格─〉　《名古屋大学文学部二十周年記念論集》　名古屋　名古屋大学文学部　1968年　頁43-68

八　學位論文

張明娳　《先秦齋戒禮之研究》　臺灣大學中文系博士論文　2010年

九　會議論文

李隆獻　〈從《左傳》的「神怪敘事」論其人文精神〉　收入《北京大學中國古文獻研究中心集刊・第九輯・中國經典文獻詮釋藝術學術討論會論文集》　北京市　北京大學中國古文獻研究中心　2010年6月　頁155-176

哲學研究叢書・學術思想叢刊 0701020

《論語》中的喪祭與鬼神觀研究

作　　者　許詠晴
責任編輯　陳胤慧
特約校稿　林秋芬

發 行 人　林慶彰
總 經 理　梁錦興
總 編 輯　張晏瑞
編 輯 所　萬卷樓圖書股份有限公司
排　　版　林曉敏
印　　刷　百通科技股份有限公司
封面設計　斐類設計工作室

發　　行　萬卷樓圖書股份有限公司
臺北市羅斯福路二段 41 號 6 樓之 3
電話 (02)23216565
傳真 (02)23218698
電郵 SERVICE@WANJUAN.COM.TW
香港經銷　香港聯合書刊物流有限公司
電話 (852)21502100
傳真 (852)23560735

ISBN 978-986-478-324-3
2020 年 8 月初版三刷
2020 年 3 月初版二刷
2020 年 2 月初版一刷
定價：新臺幣 280 元

如何購買本書：
1. 劃撥購書，請透過以下郵政劃撥帳號：
帳號：15624015
戶名：萬卷樓圖書股份有限公司
2. 轉帳購書，請透過以下帳戶
合作金庫銀行　古亭分行
戶名：萬卷樓圖書股份有限公司
帳號：0877717092596
3. 網路購書，請透過萬卷樓網站
網址 WWW.WANJUAN.COM.TW
大量購書，請直接聯繫我們，將有專人為您服務。客服：(02)23216565 分機 610
如有缺頁、破損或裝訂錯誤，請寄回更換

國家圖書館出版品預行編目資料
《論語》中的喪祭與鬼神觀研究 / 許詠晴著.
-- 初版. -- 臺北市 : 萬卷樓, 2020.02
面 ;　公分.
-- (哲學研究叢書. 學術思想叢刊 ; 0701020)
ISBN 978-986-478-324-3(平裝)

1.論語 2.研究考訂

030.8　　108019168